LE PRINCE

MACHIAVEL

LE PRINCE

Traduit de l'italien par Jean-Vincent Périès (1825)

BORÉAL

Les Éditions du Boréal sont inscrites au Programme de subvention globale du Conseil des Arts du Canada.

Conception graphique: Gianni Caccia

Diffusion au Canada: Dimedia
Diffusion et distribution en Europe: Les Éditions du Seuil

Données de catalogage avant publication (Canada)

Machiavelli, Niccolò, 1469-1527

Le Prince

(Boréal compact, Classique; 65)
Traduction de: Il principe.

ISBN 2-89052-698-4

1. Science politique - Ouvrage avant 1800. - 2. Morale politique. I. Titre.

JC143.M3714 1995   320.1   C95-940669-7

PRÉFACE

La solitude de Machiavel est paradoxale. En vingt-cinq et quelques siècles de civilisation écrite, personne sauf lui n'a jamais écrit sur le pouvoir. Pourtant, chacun répète que tout a été dit. Les sujets les plus ésotériques comme les plus abscons se sont attiré et s'attirent encore des milliards de pages. Et cette réalité si fondamentale, si incontournable — le pouvoir, la force —, cette réalité qui constitue le fondement même de toute vie sociale, est pratiquement absente de notre paysage intellectuel.

On dirait que le pouvoir est un sujet que l'on n'évoque pas en bonne compagnie. Il en est de la fréquentation de Machiavel comme de la masturbation, elles sont pratiquement inavouables. Le pouvoir est un sujet défendu, secret, probablement parce qu'il est détenu par des gens qui mentent. Le mensonge est le cœur de la politique. C'est ce que répète Machiavel et c'est ce qui explique la mauvaise réputation que lui ont faite les menteurs.

Toutes les excuses sont bonnes pour faire de la politique: sauver son pays, abolir les classes sociales, lutter contre la domination étrangère, proposer une société plus juste, servir ses concitoyens, rendre sa province indépendante, avoir une certaine idée de la grandeur de la France, de l'Espagne, du Japon, la liste est interminable. Mais l'inavouable n'est jamais proféré: le pouvoir est l'ultime aphrodisiaque.

Celui à côté duquel le sexe est un passe-temps d'ouvrier. Ne peuvent en parler ceux qui n'ont jamais connu le plaisir des limousines, des gardes du corps, des salles à manger privées, des loges toujours disponibles, des avions qui attendent, des douaniers qui saluent, des policiers qui ouvrent la voie.

C'est de tous ces plaisirs que parle Machiavel: le plaisir d'abattre ses ennemis, le plaisir d'ourdir des complots, le plaisir de faire fouiller les déclarations d'impôt, le plaisir de lire les rapports confidentiels des services secrets, le plaisir d'obliger ses amis à des bassesses; l'ivresse parfois délirante que procure le fait d'imprimer le sceau de sa volonté sur toute une société. Voilà le dénominateur commun qui unit Lénine et Lincoln, Mao et Bokassa. Le pouvoir est aussi une drogue: difficile de s'en passer une fois qu'on y a goûté. Voyez tous ces Jimmy Carter, ces Giscard D'Estaing, ces Trudeau qui continuent de hanter les corridors des palais pour la renifler encore une fois.

Mais le pouvoir a un prix, le plus cher de tous: le silence. Les peuples n'aiment pas se faire rappeler les mécanismes de leur servitude. Ils voudraient croire que les citoyens naissent égaux et que le pouvoir appartient aux électeurs. C'est ce que les médias, premiers thuriféraires des puissants, leur répètent chaque jour. En conséquence, nul ne peut jamais se vanter de gouverner. Il vaut toujours mieux parler de sacrifice, de croix à porter, au pis de mission sacrée.

Le pouvoir repose sur une conspiration du silence. Et Machiavel reste seul à affirmer que le pouvoir appartient à celui qui s'en saisit et qui est assez fort et assez astucieux pour le conserver. Pis encore, Machiavel laisse entendre que les causes et les idéologies sont des prétextes, les partis, des instruments. Au fond, seules comptent les armées, les polices: la force.

Chaque fois que l'actualité nous rappelle brutalement sa clairvoyance, en Bosnie, en Chine ou dans quelque Tchétchénie, l'indignation des vierges folles serait moins grande si la fréquentation du Prince *était plus assidue.*

DENYS ARCAND

NICOLAS MACHIAVEL
AU MAGNIFIQUE LAURENT*
FILS DE PIERRE DE MÉDICIS

Ceux qui ambitionnent d'acquérir les bonnes grâces d'un prince ont ordinairement coutume de lui offrir, en l'abordant, quelques-unes des choses qu'ils estiment le plus entre celles qu'ils possèdent, ou auxquelles ils le voient se plaire davantage. Ainsi on lui offre souvent des chevaux, des armes, des pièces de drap d'or, des pierres précieuses, et d'autres objets semblables, dignes de sa grandeur.

Désirant donc me présenter à Votre Magnificence avec quelque témoignage de mon dévouement, je n'ai trouvé, dans tout ce qui m'appartient, rien qui me soit plus cher ni plus précieux que la connaissance des actions des hommes élevés en pouvoir, que j'ai acquise, soit par une longue expérience des affaires des temps modernes, soit par une étude assidue de celle des temps anciens, que j'ai longuement roulée dans ma pensée et très attentivement examinée, et qu'enfin j'ai rédigée dans un

---

* Laurent II de Médicis (1492-1519), petit-fils de Laurent le Magnifique. Il était, en 1513, après avoir succédé à son frère Julien, souverain de Florence.

9

petit volume que j'ose adresser aujourd'hui à Votre Magnificence.

Quoique je regarde cet ouvrage comme indigne de paraître devant vous, j'ai la confiance que votre indulgence daignera l'agréer, lorsque vous voudrez bien songer que le plus grand présent que je pusse vous faire était de vous donner le moyen de connaître en très peu de temps ce que je n'ai appris que dans un long cours d'années, et au prix de beaucoup de peines et de dangers.

Je n'ai orné cet ouvrage ni de grands raisonnements, ni de phrases ampoulées et magnifiques, ni, en un mot, de toutes ces parures étrangères dont la plupart des auteurs ont coutume d'embellir leurs écrits : j'ai voulu que mon livre tirât tout son lustre de son propre fond, et que la variété de la matière et l'importance du sujet en fissent le seul agrément.

Je demande d'ailleurs que l'on ne me taxe point de présomption si, simple particulier, et même d'un rang inférieur, j'ai osé discourir du gouvernement des princes et en donner des règles. De même que ceux qui veulent dessiner un paysage descendent dans la plaine pour obtenir la structure et l'aspect des montagnes et des lieux élevés, et montent au contraire sur les hauteurs lorsqu'ils ont à peindre les plaines : de même, pour bien connaître le naturel des peuples, il est nécessaire d'être prince ; et pour connaître également les princes, il faut être peuple.

Que Votre Magnificence accepte donc ce modique présent dans le même esprit que je le lui adresse. Si elle l'examine et le lit avec quelque attention, elle y verra éclater partout l'extrême désir que j'ai de la voir parvenir à cette grandeur que lui promettent la fortune et ses autres qualités. Et si Votre Magnificence, du faîte de son élévation, abaisse quelquefois ses regards sur ce qui est si au-dessous d'elle, elle verra combien peu j'ai mérité d'être la victime continuelle d'une fortune injuste et rigoureuse.

CHAPITRE I

COMBIEN IL Y A DE SORTES DE PRINCIPAUTÉS, ET PAR QUELS MOYENS ON PEUT LES ACQUÉRIR

Tous les États, toutes les dominations qui ont tenu et tiennent encore les hommes sous leur empire, ont été et sont ou des républiques ou des principautés.

Les principautés sont ou héréditaires ou nouvelles.

Les héréditaires sont celles qui ont été longtemps possédées par la famille de leur prince.

Les nouvelles, ou le sont tout à fait, comme Milan le fut pour Francesco Sforza, ou elles sont comme des membres ajoutés aux États héréditaires du prince qui les a acquises; et tel a été le royaume de Naples à l'égard du roi d'Espagne.

D'ailleurs, les États acquis de cette manière étaient accoutumés ou à vivre sous un prince ou à être libres: l'acquisition en a été faite avec les armes d'autrui, ou par celles de l'acquéreur lui-même, ou par la faveur de la fortune, ou par l'ascendant de la vertu[*].

---

[*] Par l'italien *virtù,* Machiavel désigne une qualité humaine dont le sens est beaucoup plus large que celui du mot français «vertu». Il faut y entendre: courage, intelligence, énergie, bref le principe actif de l'énergie humaine. Par «fortune», il faut plutôt entendre l'ensemble des forces et des circonstances qui échappent au pouvoir de l'homme.

CHAPITRE II

DES PRINCIPAUTÉS HÉRÉDITAIRES

Je ne traiterai point ici des républiques, car j'en ai parlé amplement ailleurs[*]: je ne m'occuperai que des principautés; et, reprenant le fil des distinctions que je viens d'établir, j'examinerai comment, dans ces diverses hypothèses, les princes peuvent se conduire et se maintenir.

Je dis donc que, pour les États héréditaires et façonnés à l'obéissance envers la famille du prince, il y a bien moins de difficultés à les maintenir que les États nouveaux: il suffit au prince de ne point outrepasser les bornes posées par ses ancêtres, et de temporiser avec les événements. Aussi, ne fût-il doué que d'une capacité ordinaire, il saura se maintenir sur le trône, à moins qu'une force irrésistible et hors de toute prévoyance ne l'en renverse; mais alors même qu'il l'aura perdu, le moindre revers éprouvé par l'usurpateur le lui fera aisément recouvrer. L'Italie nous en offre un exemple dans le duc de Ferrare: s'il a résisté, en 1484, aux attaques des Vénitiens, et, en 1510, à celles du

---

[*] Dans les *Discours sur la première décade de Tite-Live*.

pape Jules II, c'est uniquement parce que sa famille était établie depuis longtemps dans son duché.

En effet, un prince héréditaire a bien moins de motifs et se trouve bien moins dans la nécessité de déplaire à ses sujets : il en est par cela même bien plus aimé ; et, à moins que des vices extraordinaires ne le fassent haïr, ils doivent naturellement lui être affectionnés. D'ailleurs, dans l'ancienneté et dans la longue continuation d'une puissance, la mémoire des précédentes innovations s'efface ; les causes qui les avaient produites s'évanouissent : il n'y a donc plus de ces sortes de pierres d'attente qu'une révolution laisse toujours pour en appuyer une seconde.

CHAPITRE III

DES PRINCIPAUTÉS MIXTES

C'est dans une principauté nouvelle que toutes les difficultés se rencontrent.

D'abord, si elle n'est pas entièrement nouvelle, mais ajoutée comme un membre à une autre, en sorte qu'elles forment ensemble un corps qu'on peut appeler mixte, il y a une première source de changement dans une difficulté naturelle inhérente à toutes les principautés nouvelles : c'est que les hommes aiment à changer de maître dans l'espoir d'améliorer leur sort ; que cette espérance leur met les armes à la main contre le gouvernement actuel ; mais qu'ensuite l'expérience leur fait voir qu'ils se sont trompés et qu'ils n'ont fait qu'empirer leur situation : conséquence inévitable d'une autre nécessité naturelle où se trouve ordinairement le nouveau prince d'accabler ses sujets, et par l'entretien de ses armées, et par une infinité d'autres charges qu'entraînent à leur suite les nouvelles conquêtes.

La position de ce prince est telle que, d'une part, il a pour ennemis tous ceux dont il a blessé les intérêts en s'emparant de cette principauté ; et que, de l'autre, il ne peut conserver l'amitié et la fidélité de ceux qui lui en ont facilité l'entrée, soit par l'impuissance où il se trouve de les satisfaire autant qu'ils se l'étaient promis, soit parce qu'il ne lui convient pas d'employer contre eux ces remèdes héroïques dont la reconnaissance le force de s'abstenir ; car, quelque puissance qu'un prince ait par ses armées, il a toujours besoin, pour entrer dans un pays, d'être aidé par la faveur des habitants.

Voilà pourquoi Louis XII, roi de France, se rendit maître en un instant du Milanais, qu'il perdit de même, et que d'abord les seules forces de Lodovico Sforza suffirent pour le lui arracher. En effet, les habitants qui lui avaient ouvert les portes, se voyant trompés dans leur espoir, et frustrés des avantages qu'ils avaient attendus, ne purent supporter les dégoûts d'une nouvelle domination.

Il est bien vrai que, lorsqu'on reconquiert des pays qui se sont ainsi rebellés, on les perd plus difficilement : le conquérant, se prévalant de cette rébellion, procède avec moins de mesure dans les moyens d'assurer sa conquête, soit en punissant les coupables, soit en recherchant les suspects, soit en fortifiant toutes les parties faibles de ses États.

Voilà pourquoi aussi il suffit, pour enlever une première fois Milan à la France, d'un duc Lodovico excitant quelques rumeurs sur les confins de cette province. Il fallut, pour la lui faire perdre une seconde, que tout le monde se réunît contre elle, que ses armées fussent entièrement dispersées, et qu'on les chassât de l'Italie ; ce qui ne put avoir lieu que par les causes que j'ai développées précédemment : néanmoins, il perdit cette province et la première et la seconde fois.

Du reste, c'est assez pour la première expulsion d'en avoir indiqué les causes générales ; mais, quant à la seconde, il est bon de s'y arrêter un peu plus, et d'examiner les moyens que Louis XII pouvait employer, et dont tout autre prince pourrait se servir en pareille circonstance, pour se maintenir un peu mieux dans ses nouvelles conquêtes que ne fit le roi de France.

Je dis donc que les États conquis, pour être réunis à ceux

qui appartiennent depuis longtemps au conquérant, sont ou ne sont pas dans la même contrée que ces derniers, et qu'ils ont ou n'ont pas la même langue.

Dans le premier cas, il est facile de les conserver, surtout lorsqu'ils ne sont point accoutumés à vivre libres : pour les posséder en sûreté, il suffit d'avoir éteint la race du prince qui était le maître ; et si, dans tout le reste, on leur laisse leur ancienne manière d'être, comme les mœurs y sont les mêmes, les sujets vivent bientôt tranquillement. C'est ainsi que la Bretagne, la Bourgogne, la Gascogne et la Normandie, sont restées unies à la France depuis tant d'années ; et quand même il y aurait quelques différences dans le langage, comme les habitudes et les mœurs se ressemblent, ces États réunis pourront aisément s'accorder. Il faut seulement que celui qui s'en rend possesseur soit attentif à deux choses, s'il veut les conserver ; l'une est, comme je viens de le dire, d'éteindre la race de l'ancien prince ; l'autre, de n'altérer ni les lois ni le mode des impositions : de cette manière, l'ancienne principauté et la nouvelle ne seront, en bien peu de temps, qu'un seul corps.

Mais, dans le second cas, c'est-à-dire quand les États acquis sont dans une autre contrée que celui auquel on les réunit, quand ils n'ont ni la même langue, ni les mêmes mœurs, ni les mêmes institutions, alors les difficultés sont excessives, et il faut un grand bonheur et une grande habileté pour les conserver. Un des moyens les meilleurs et les plus efficaces serait que le vainqueur vînt y fixer sa demeure personnelle : rien n'en rendrait la possession plus sûre et plus durable. C'est aussi le parti qu'a pris le Turc à l'égard de la Grèce, que certainement, malgré toutes ses autres mesures, il n'aurait jamais pu conserver s'il ne s'était déterminé à venir l'habiter.

Quand il habite le pays, le nouveau prince voit les désordres à leur naissance, et peut les réprimer sur-le-champ. S'il en est éloigné, il ne les connaît que lorsqu'ils sont déjà grands, et qu'il ne lui est plus possible d'y remédier.

D'ailleurs, sa présence empêche ses officiers de dévorer la province ; et, en tout cas, c'est une satisfaction pour les habitants d'avoir pour ainsi dire sous la main leur recours au prince lui-même. Ils ont aussi plus de raisons, soit de l'aimer, s'ils veulent être de bons et fidèles sujets, soit de le craindre, s'ils veulent être mauvais. Enfin, l'étranger qui voudrait assaillir cet État s'y hasarde bien moins aisément ; d'autant que le prince y résidant, il est très difficile de le lui enlever.

Le meilleur moyen qui se présente ensuite est d'établir des colonies dans un ou deux endroits qui soient comme les clefs du pays : sans cela, on est obligé d'y entretenir un grand nombre de gens d'armes et d'infanterie. L'établissement des colonies est peu dispendieux pour le prince ; il peut, sans frais ou du moins presque sans dépense, les envoyer et les entretenir ; il ne blesse que ceux auxquels il enlève leurs champs et leurs maisons pour les donner aux nouveaux habitants. Or les hommes ainsi offensés n'étant qu'une très faible partie de la population, et demeurant dispersés et pauvres, ne peuvent jamais devenir nuisibles ; tandis que tous ceux que sa rigueur n'a pas atteints demeurent tranquilles par cette seule raison ; ils n'osent d'ailleurs se mal conduire, dans la crainte qu'il ne leur arrive aussi d'être dépouillés. En un mot, ces colonies, si peu coûteuses, sont plus fidèles et moins à charge aux sujets ; et, comme je l'ai dit précédemment, ceux qui en souffrent étant pauvres et dispersés, sont incapables de nuire. Sur quoi il faut remarquer que les hommes doivent être ou caressés ou écrasés : ils se vengent des injures légères ; ils ne le peuvent quand elles sont très grandes ; d'où il suit que, quand il s'agit d'offenser un homme, il faut le faire de telle manière qu'on ne puisse redouter sa vengeance.

Mais si, au lieu d'envoyer des colonies, on se détermine à entretenir des troupes, la dépense qui en résulte s'accroît sans bornes, et tous les revenus de l'État sont consommés pour le garder. Aussi l'acquisition devient une véritable perte, qui blesse d'autant plus que les habitants se trouvent plus lésés ; car ils ont tous à souffrir, ainsi que l'État, et des logements et des déplacements de troupes. Or, chacun se trouvant exposé à cette charge, tous deviennent ennemis du prince, et ennemis capables de nuire, puisqu'ils demeurent injuriés dans leurs foyers. Une telle garde est donc de toute manière aussi inutile que celle des colonies serait profitable.

Mais ce n'est pas tout. Quand l'État conquis se trouve dans une autre contrée que l'État héréditaire du conquérant, il est beaucoup d'autres soins que celui-ci ne saurait négliger: il doit se faire chef et protecteur des princes voisins les moins puissants de la contrée, travailler à affaiblir ceux d'entre eux qui sont les plus forts, et empêcher que, sous un prétexte quelconque, un étranger aussi puissant que lui ne s'y introduise; introduction qui sera certainement favorisée; car cet étranger ne peut manquer d'être appelé par tous ceux que l'ambition ou la crainte rend mécontents. C'est ainsi, en effet, que les Romains furent introduits dans la Grèce par les Étoliens, et que l'entrée de tous les autres pays où ils pénétrèrent leur fut ouverte par les habitants.

À cet égard, voici quelle est la marche des choses: aussitôt qu'un étranger puissant est entré dans une contrée, tous les princes moins puissants qui s'y trouvent s'attachent à lui et favorisent son entreprise, excités par l'envie qu'ils nourrissent contre ceux dont la puissance était supérieure à la leur. Il n'a donc point de peine à gagner ces princes moins puissants, qui tous se hâtent de ne faire qu'une seule masse avec l'État qu'il vient de conquérir. Il doit seulement veiller à ce qu'ils ne prennent trop de force ou trop d'autorité: avec leur aide et ses propres moyens, il viendra sans peine à bout d'abaisser les plus puissants, et de se rendre seul arbitre de la contrée. S'il néglige, en ces circonstances, de se bien conduire, il perdra bientôt le fruit de sa conquête; et tant qu'il le gardera, il y éprouvera toute espèce de difficultés et de dégoûts.

Les Romains, dans les pays dont ils se rendirent les maîtres, ne négligèrent jamais rien de ce qu'il y avait à faire. Ils y envoyaient des colonies, ils y protégeaient les plus faibles, sans toutefois accroître leur puissance; ils y abaissaient les grands; ils ne souffraient pas que des étrangers puissants y acquissent le moindre crédit. Je n'en veux pour preuve qu'un seul exemple. Qu'on voie ce qu'ils firent dans la Grèce: ils y soutinrent les Achéens et les Étoliens; ils y abaissèrent le royaume de Macédoine, ils en chassèrent Antiochus; mais quelques services qu'ils eussent reçus des Achéens et des Étoliens, ils ne permirent pas que ces deux peuples accrussent leurs États; toutes les sollicitations de Philippe ne purent obtenir d'eux qu'ils fussent ses amis, sans qu'il y perdît quelque chose; et toute la puissance d'Antiochus ne put jamais les faire consentir à ce qu'il possédât le moindre État dans ces contrées.

Les Romains, en ces circonstances, agirent comme doivent le faire des princes sages, dont le devoir est de penser non seulement aux désordres présents, mais encore à ceux qui peuvent survenir, afin d'y remédier par tous les moyens que peut leur indiquer la prudence. C'est, en effet, en les prévoyant de loin, qu'il est bien plus facile d'y porter remède; au lieu que si on les a laissés s'élever, il n'en est plus temps, et le mal devient incurable. Il en est alors comme de l'étisie, dont les médecins disent que, dans le principe, c'est une maladie facile à guérir, mais difficile à connaître, et qui, lorsqu'elle a fait des progrès, devient facile à connaître, mais difficile à guérir. C'est ce qui arrive dans toutes les affaires d'État: lorsqu'on prévoit le mal de loin, ce qui n'est donné qu'aux hommes doués d'une grande sagacité, on le guérit bientôt; mais lorsque, par défaut de lumière, on n'a su le voir que lorsqu'il frappe tous les yeux, la cure se trouve impossible. Aussi les Romains, qui savaient prévoir de loin tous les inconvénients, y remédièrent toujours à temps, et ne les laissèrent jamais suivre leur cours pour éviter une guerre: ils savaient bien qu'on ne l'évite jamais, et que, si on la diffère, c'est à l'avantage de l'ennemi. C'est ainsi que, quoiqu'ils pussent alors s'en abstenir, ils voulurent la faire à Philippe et à Antiochus, au sein de la Grèce même, pour ne pas avoir à la soutenir contre eux en Italie. Ils ne goûtèrent jamais ces paroles que l'on entend sans cesse sortir de la bouche des sages de nos jours : *Jouis du bénéfice du temps* ; ils préférèrent celui de la valeur et de la prudence ; car le temps chasse également toute chose devant lui, et il apporte à sa suite le bien comme le mal, le mal comme le bien.

Mais revenons à la France, et examinons si elle a fait aucune des choses que je viens d'exposer. Je parlerai seulement du roi Louis XII, et non de Charles VII, parce que le premier ayant plus longtemps gardé ses conquêtes en Italie, on a pu mieux connaître ses manières de procéder. Or on a dû voir qu'il fit tout le contraire de ce qu'il faut pour conserver un État tout différent de celui auquel on a dessein de l'ajouter.

Le roi Louis XII fut introduit en Italie par l'ambition des Vénitiens, qui voulaient, par sa venue, acquérir la moitié du duché de Lombardie. Je ne prétends point blâmer le parti qu'embrassa le roi : puisqu'il voulait commencer à mettre un pied en Italie, où il ne possédait aucun ami, et dont la conduite de Charles VIII lui avait même fermé toutes les portes, il était forcé d'embrasser les premières amitiés qu'il put trouver ; et le parti qu'il prit pouvait même être heureux, si d'ailleurs, dans le surplus de ses expéditions, il n'eût commis aucune autre erreur. Ainsi, après avoir conquis la Lombardie, il regagna bientôt la réputation que Charles lui avait fait perdre : Gênes se soumit ; les Florentins devinrent ses alliés ; le marquis de Mantoue, le duc de Ferrare, les Bentiovogli, la dame de Forli, les seigneurs de Faenza, de Pesaro, de Rimini, de Camerino, de Piombino, les Lucquois, les Pisans, les Siennois, tous coururent au-devant de son amitié. Aussi les Vénitiens durent-ils reconnaître quelle avait été leur imprudence lorsque, pour acquérir deux villes dans la Lombardie, ils avaient rendu le roi de France souverain des deux tiers de l'Italie.

Dans de telles circonstances, il eût été sans doute facile à Louis XII de conserver dans cette contrée tout son ascendant, s'il eût su mettre en pratique les règles de conduite exposées ci-dessus; s'il avait protégé et défendu ces nombreux amis, qui, faibles et tremblant les uns devant l'Église, les autres devant les Vénitiens, étaient obligés de lui rester fidèles, et au moyen desquels il pouvait aisément s'assurer de tous ceux auxquels il restait encore quelque puissance.

Mais il était à peine arrivé dans Milan, qu'il fit tout le contraire, en aidant le pape Alexandre VI à s'emparer de la Romagne. Il ne comprit pas qu'il s'affaiblissait lui-même, en se privant des amis qui s'étaient jetés dans ses bras, et qu'il agrandissait l'Église, en ajoutant au pouvoir spirituel, qui lui donne déjà tant d'autorité, un pouvoir temporel aussi considérable.

Cette première erreur en entraîna tant d'autres, qu'il fallut que le roi vînt lui-même en Italie pour mettre une borne à l'ambition d'Alexandre, et l'empêcher de se rendre maître de la Toscane.

Ce ne fut pas tout. Non content d'avoir ainsi agrandi l'Église, et de s'être privé de ses amis, Louis, brûlant de posséder le royaume de Naples, se détermine à le partager avec le roi d'Espagne : de sorte que, tandis qu'il était seul arbitre de l'Italie, il y introduisit lui-même un rival auquel purent recourir tous les ambitieux et tous les mécontents; et lorsqu'il pouvait laisser sur le trône un roi qui s'estimait heureux d'être son tributaire, il l'en renversa pour y placer un prince qui était en état de l'en chasser lui-même.

Le désir d'acquérir est sans doute une chose ordinaire et naturelle; et quiconque s'y livre, quand il en a les moyens, en est plutôt loué que blâmé : mais en former le dessein sans pouvoir l'exécuter, c'est encourir le blâme et commettre une erreur. Si donc la France avait des forces suffisantes pour attaquer le royaume de Naples, elle devait le faire; si elle ne les avait pas, elle ne devait point le partager.

Si le partage de la Lombardie avec les Vénitiens pouvait être excusé, c'est parce qu'il donna à la France le moyen de mettre le pied en Italie; mais celui du royaume de Naples, n'ayant pas été pareillement déterminé par la nécessité, demeure sans excuse. Ainsi Louis XII avait fait cinq fautes en Italie: il y avait ruiné les faibles, il y avait augmenté la puissance d'un puissant, il y avait introduit un prince étranger très puissant, il n'était point venu y demeurer, et n'y avait pas envoyé des colonies.

Cependant, tant qu'il vécut, ces cinq fautes auraient pu ne pas lui devenir funestes, s'il n'en eût commis une sixième, celle de vouloir dépouiller les Vénitiens de leurs États. En effet, il eût été bon et nécessaire de les affaiblir, si d'ailleurs il n'avait pas agrandi l'Église et appelé l'Espagne en Italie; mais ayant fait l'un et l'autre, il ne devait jamais consentir à leur ruine, parce que, tant qu'ils seraient restés puissants, ils auraient empêché les ennemis du roi d'attaquer la Lombardie. En effet, d'une part, ils n'y auraient consenti qu'à condition de devenir les maîtres de ce pays; de l'autre, personne n'aurait voulu l'enlever à la France pour le leur donner; et enfin il eût paru trop dangereux d'attaquer les Français et les Vénitiens réunis.

Si l'on me disait que Louis n'avait abandonné la Romagne au pape Alexandre, et partagé le royaume de Naples avec l'Espagne, que pour éviter la guerre, je répondrais ce que j'ai déjà dit, qu'il ne faut jamais, pour un pareil motif, laisser subsister un désordre; car on n'évite point la guerre, on ne fait que la retarder à son propre désavantage.

Si l'on alléguait encore la promesse que le roi avait faite au pape de conquérir cette province pour lui, afin d'en obtenir la dissolution de son mariage et le chapeau de cardinal pour l'archevêque de Rouen (appelé ensuite le cardinal d'Amboise), je répondrais par ce qui sera dit dans la suite[*], touchant les promesses des princes, et la manière dont ils doivent les garder.

Louis XII a donc perdu la Lombardie pour ne s'être conformé

---

[*] Au chapitre XVIII.

à aucune des règles que suivent tous ceux qui, ayant acquis un État, veulent le conserver. Il n'y a là aucun miracle; c'est une chose toute simple et toute naturelle.

Je me trouvais à Nantes à l'époque où le Valentinois (c'est ainsi qu'on appelait alors César Borgia, fils du pape Alexandre VI) se rendait maître de la Romagne: le cardinal d'Amboise, avec lequel je m'entretenais de cet événement, m'ayant dit que les Italiens ne comprenaient rien aux affaires de guerre, je lui répondis que les Français n'entendaient rien aux affaires d'État, parce que, s'ils y avaient compris quelque chose, ils n'auraient pas laissé l'Église s'agrandir à ce point. L'expérience, en effet, a fait voir que la grandeur de l'Église et celle de l'Espagne en Italie ont été l'ouvrage de la France, et ensuite la cause de sa ruine dans cette contrée. De là aussi on peut tirer cette règle générale qui trompe rarement, si même elle trompe jamais: c'est que le prince qui en rend un autre puissant travaille à sa propre ruine; car cette puissance est produite ou par l'adresse ou par la force: or l'une et l'autre de ces deux causes rendent quiconque les emploie suspect à celui pour qui elles sont employées.

CHAPITRE IV

POURQUOI LES ÉTATS DE DARIUS, CONQUIS PAR ALEXANDRE, NE SE RÉVOLTÈRENT POINT CONTRE LES SUCCESSEURS DU CONQUÉRANT APRÈS SA MORT

Lorsque l'on considère combien il est difficile de conserver un État nouvellement conquis, on peut s'étonner de ce qui se passa après la mort d'Alexandre le Grand. Ce prince s'était rendu maître en peu d'années de toute l'Asie, et mourut presque aussitôt. Il était probable que l'empire profiterait de son trépas pour se révolter ; néanmoins ses successeurs s'y maintinrent, et ils n'éprouvèrent d'autre difficulté que celle qui naquit entre eux de leur propre ambition.

Je répondrai à cela que toutes les principautés que l'on connaît, et dont il est resté quelque souvenir, sont gouvernées de deux manières différentes : ou par un prince et des esclaves, qui ne l'aident à gouverner, comme ministres, que par une grâce et une concession qu'il veut bien leur faire ; ou par un prince et des barons, qui tiennent leur rang non de la faveur du souverain, mais de l'ancienneté de leur race ; qui ont des États et des sujets qui leur appartiennent et les reconnaissent pour seigneurs, et qui ont pour eux une affection naturelle.

Dans les principautés gouvernées par un prince et par des esclaves, le prince possède une bien plus grande autorité, puisque, dans toute l'étendue de ses États, lui seul est reconnu pour supérieur, et que, si les sujets obéissent à quelque autre, ils ne le regardent que comme son ministre ou son officier, pour lequel ils ne ressentent aucun attachement personnel.

On peut de nos jours citer, comme exemple de l'une et de l'autre sorte de gouvernement, la Turquie et le royaume de France.

Toute la Turquie est gouvernée par un seul maître, dont tous les autres Turcs sont esclaves, et qui, ayant divisé son empire en plusieurs *sangiacs,* y envoie des gouverneurs qu'il révoque et qu'il change au gré de son caprice.

En France, au contraire, le roi se trouve au milieu d'une foule de seigneurs de race antique, reconnus pour tels par leurs sujets, qui en sont aimés, et qui jouissent de prérogatives que le roi ne pourrait leur enlever sans danger pour lui.

Si l'on réfléchit sur la nature de ces deux formes de gouvernement, on verra qu'il est difficile de conquérir l'empire des Turcs; mais qu'une fois conquis, il est très aisé de le conserver.

La difficulté de conquérir l'empire turc vient de ce que le conquérant ne peut jamais être appelé par les grands de cette monarchie, ni espérer d'être aidé dans son entreprise par la rébellion de quelques-uns de ceux qui entourent le monarque. J'en ai déjà indiqué les raisons. Tous, en effet, étant également ses esclaves, tous lui devant également leur fortune, il est bien difficile de les corrompre; et quand même on y parviendrait, il faudrait en attendre peu d'avantages, parce qu'ils ne peuvent pas entraîner les peuples dans leur révolte. Celui donc qui voudrait attaquer les Turcs doit s'attendre à les trouver réunis contre lui, espérer peu d'être favorisé par des désordres intérieurs, et ne compter guère que sur ses propres forces.

Mais la conquête une fois faite et le monarque vaincu en bataille rangée, de manière à ne pouvoir plus refaire ses armées, on n'a plus à craindre que sa race, qui, une fois éteinte, ne laisse plus personne à redouter, parce qu'il n'y a plus personne qui conserve quelque ascendant sur le peuple; de sorte que si, avant la victoire, il n'y avait rien à espérer des sujets, de même, après l'avoir remportée, il n'y a plus rien à appréhender de leur part.

Il en est tout autrement des États gouvernés comme la France. Il peut être facile d'y entrer en gagnant quelques-uns des grands du royaume; et il s'en trouve toujours de mécontents, qui sont avides de nouveautés et de changements, et qui d'ailleurs peuvent effectivement, par les raisons que j'ai déjà dites, ouvrir les chemins du royaume et faciliter la victoire; mais, s'agit-il ensuite de se maintenir, c'est alors que le conquérant éprouve toutes sortes de difficultés, et de la part de ceux qui l'ont aidé, et de la part de ceux qu'il a dû opprimer.

Là, il ne lui suffit pas d'éteindre la race du prince, car il reste toujours une foule de seigneurs qui se mettront à la tête de nouveaux mouvements; et comme il ne lui est possible ni de les contenter tous ni de les détruire, il perdra sa conquête dès que l'occasion s'en présentera.

Maintenant, si nous considérons la nature du gouvernement de Darius, nous trouverons qu'il ressemblait à celui de la Turquie: aussi Alexandre eut-il à combattre contre toutes les forces de l'empire, et dut-il d'abord défaire le monarque en pleine campagne; mais, après sa victoire et la mort de Darius, le vainqueur, par les motifs que j'ai exposés, demeura tranquille possesseur de sa conquête. Et si ses successeurs étaient restés unis, ils en auraient joui également au sein du repos et des voluptés; car on ne vit s'élever dans tout l'empire que les troubles qu'eux-mêmes y excitèrent.

Mais, quant aux États gouvernés comme la France, il s'en faut bien qu'il soit possible de s'y maintenir avec autant de tranquillité. Nous en avons la preuve dans les fréquents soulèvements qui se formèrent contre les Romains, soit dans l'Espagne, soit dans les Gaules, soit dans la Grèce. Ces rébellions eurent pour cause les nombreuses principautés qui se trouvaient dans ces contrées, et dont le seul souvenir, tant qu'il subsista, fut pour les vainqueurs une source de troubles et d'inquiétudes. Il fallut que la puissance et la durée de la domination romaine en eussent éteint la mémoire, pour que les possesseurs fussent enfin tranquilles.

Il y a même plus. Lorsque, dans la suite, les Romains furent en guerre les uns contre les autres, chacun des partis put gagner et avoir pour soi celles de ces anciennes principautés où il avait le plus d'influence, et qui, après l'extinction de la race de leurs princes, ne connaissaient plus d'autre domination que celle de Rome.

Quiconque aura réfléchi sur toutes ces considérations, ne s'étonnera plus sans doute de la facilité avec laquelle Alexandre se maintint en Asie, et de la peine, au contraire, que d'autres, tels que Pyrrhus, eurent à conserver leurs conquêtes. Cela ne tint point à l'habileté plus ou moins grande du conquérant, mais à la différente nature des États conquis.

CHAPITRE V

COMMENT ON DOIT GOUVERNER
LES ÉTATS OU PRINCIPAUTÉS
QUI, AVANT LA CONQUÊTE,
VIVAIENT SOUS LEURS PROPRES LOIS

Quand les États conquis sont, comme je l'ai dit, accoutumés à vivre libres sous leurs propres lois, le conquérant peut s'y prendre de trois manières pour s'y maintenir: la première est de les détruire; la seconde, d'aller y résider en personne; la troisième, de leur laisser leurs lois, se bornant à exiger un tribut, et à y établir un gouvernement peu nombreux qui les contiendra dans l'obéissance et la fidélité: ce qu'un tel gouvernement fera sans doute; car, tenant toute son existence du conquérant, il sait qu'il ne peut la conserver sans son appui et sans sa protection; d'ailleurs, un État accoutumé à la liberté est plus aisément gouverné par ses propres citoyens que par d'autres.

Les Spartiates et les Romains peuvent ici nous servir d'exemple.

Les Spartiates se maintinrent dans Athènes et dans Thèbes, en n'y confiant le pouvoir qu'à un petit nombre de personnes;

néanmoins ils les perdirent par la suite. Les Romains, pour rester maîtres de Capoue, de Carthage et de Numance, les détruisirent et ne les perdirent point. Ils voulurent en user dans la Grèce comme les Spartiates : ils lui rendirent la liberté, et lui laissèrent ses propres lois ; mais cela ne leur réussit point. Il fallut, pour conserver cette contrée, qu'ils y détruisissent un grand nombre de cités ; ce qui était le seul moyen sûr de posséder. Et, au fait, quiconque, ayant conquis un État accoutumé à vivre libre, ne le détruit point, doit s'attendre à en être détruit. Dans un tel État, la rébellion est sans cesse excitée par le nom de la liberté et par le souvenir des anciennes institutions, que ne peuvent jamais effacer de sa mémoire ni la longueur du temps ni les bienfaits d'un nouveau maître. Quelque précaution que l'on prenne, quelque chose que l'on fasse, si l'on ne dissout point l'État, si l'on n'en disperse les habitants, on les verra, à la première occasion, rappeler, invoquer leur liberté, leurs institutions perdues, et s'efforcer de les ressaisir. C'est ainsi qu'après plus de cent années d'esclavage Pise brisa le joug des Florentins.

Mais il en est bien autrement pour les pays accoutumés à vivre sous un prince. Si la race de ce prince est une fois éteinte, les habitants, déjà façonnés à l'obéissance, ne pouvant s'accorder dans le choix d'un nouveau maître, et ne sachant point vivre libres, sont peu empressés de prendre les armes ; en sorte que le conquérant peut sans difficulté ou les gagner ou s'assurer d'eux. Dans les républiques, au contraire, il existe un principe de vie bien plus actif, une haine bien plus profonde, un désir de vengeance bien plus ardent, qui ne laisse ni ne peut laisser un moment en repos le souvenir de l'antique liberté : il ne reste alors au conquérant d'autre parti que de détruire ces États ou de venir les habiter.

CHAPITRE VI

DES PRINCIPAUTÉS NOUVELLES
ACQUISES PAR LES ARMES
ET PAR L'HABILETÉ DE L'ACQUÉREUR

Qu'on ne s'étonne point si, en parlant de principautés tout à fait nouvelles de princes et d'État, j'allègue de très grands exemples. Les hommes marchent presque toujours dans des sentiers déjà battus; presque toujours ils agissent par imitation; mais il ne leur est guère possible de suivre bien exactement les traces de celui qui les a précédés, ou d'égaler la vertu de celui qu'ils ont entrepris d'imiter. Ils doivent donc prendre pour guides et pour modèles les plus grands personnages, afin que, même en ne s'élevant pas au même degré de grandeur et de gloire, ils puissent en reproduire au moins le parfum. Ils doivent faire comme ces archers prudents, qui, jugeant que le but proposé est au-delà de la portée de leur arc et de leurs forces, visent encore plus loin, pour que leur flèche arrive au point qu'ils désirent atteindre.

Je dis d'abord que, pour les principautés tout à fait nouvelles, le plus ou le moins de difficulté de s'y maintenir dépend du plus ou du moins d'habileté qui se trouve dans celui qui les a acquises : aussi peut-on croire que communément la difficulté ne doit pas être très grande. Il y a lieu de penser que celui qui, de simple particulier, s'est élevé au rang de prince, est un homme habile ou bien secondé par la fortune : sur quoi j'ajouterai, que moins il devra à la fortune, mieux il saura se maintenir. D'ailleurs, un tel prince n'ayant point d'autres États, est obligé de venir vivre dans son acquisition ; ce qui diminue encore la difficulté.

Mais, quoi qu'il en soit, pour parler d'abord de ceux qui sont devenus princes par leur propre vertu et non par la fortune, les plus remarquables sont : Moïse, Cyrus, Romulus, Thésée, et quelques autres semblables.

Que, si l'on doit peu raisonner sur Moïse, parce qu'il ne fut qu'un simple exécuteur des ordres de Dieu, il y a toujours lieu de l'admirer, ne fût-ce qu'à cause de la grâce qui le rendait digne de s'entretenir avec la Divinité. Mais en considérant les actions et la conduite, soit de Cyrus, soit des autres conquérants et fondateurs de royaumes, on les admirera également tous, et on trouvera une grande conformité entre eux et Moïse, bien que ce dernier eût été conduit par un si grand maître.

On verra d'abord que tout ce qu'ils durent à la fortune, ce fut l'occasion qui leur fournit une matière à laquelle ils purent donner la forme qu'ils jugèrent convenable. Sans cette occasion, les grandes qualités de leur âme seraient demeurées inutiles ; mais aussi, sans ces grandes qualités, l'occasion se serait vainement présentée. Il fallut que Moïse trouvât les Israélites esclaves et opprimés en Égypte, pour que le désir de sortir de l'esclavage les déterminât à le suivre. Pour que Romulus devînt le fondateur et le roi de Rome, il fallut qu'il fût mis hors d'Albe et exposé aussitôt après sa naissance. Cyrus eut besoin de trouver les Perses mécontents de la domination des Mèdes, et les Mèdes amollis et efféminés par les délices d'une longue paix. Enfin Thésée n'aurait point fait éclater sa valeur, si les Athéniens n'avaient pas été dispersés. Le bonheur de ces grands hommes naquit donc des occasions; mais ce fut par leur habileté qu'ils surent les connaître et les mettre à profit pour la grande prospérité et la gloire de leur patrie. Ceux qui, comme eux, et par les mêmes moyens, deviendront princes, n'acquerront leur principauté qu'avec beaucoup de difficultés, mais ils la maintiendront aisément.

En cela, leurs difficultés viendront surtout des nouvelles institutions, des nouvelles formes qu'ils seront obligés d'introduire pour fonder leur gouvernement et pour leur sûreté; et l'on doit remarquer qu'en effet il n'y a point d'entreprise plus difficile à conduire, plus incertaine, quant au succès, et plus dangereuse que celle d'introduire de nouvelles institutions. Celui qui s'y engage a pour ennemis tous ceux qui profitaient des institutions anciennes, et il ne trouve que de tièdes défenseurs dans ceux pour qui les nouvelles seraient utiles. Cette tiédeur, au reste, leur vient de deux causes: la première est la peur qu'ils ont de leurs adversaires, lesquels ont en leur faveur les lois existantes; la seconde est l'incrédulité commune à tous les hommes, qui ne veulent croire à la bonté des choses nouvelles que lorsqu'ils en ont été bien convaincus par l'expérience. De là vient aussi que, si ceux qui sont ennemis trouvent l'occasion d'attaquer, ils le font avec toute la chaleur de l'esprit de parti, et que les autres se défendent avec froideur, en sorte qu'il y a du danger à combattre avec eux.

Afin de bien raisonner sur ce sujet, il faut considérer si les innovateurs sont puissants par eux-mêmes, ou s'ils dépendent d'autrui, c'est-à-dire si, pour conduire leur entreprise, ils en sont réduits à prier, ou s'ils ont les moyens de contraindre.

Dans le premier cas, il leur arrive toujours malheur, et ils ne viennent à bout de rien; mais dans le second, au contraire, c'est-à-dire quand ils ne dépendent que d'eux-mêmes, et qu'ils sont en état de forcer, ils courent bien rarement le risque de succomber. C'est pour cela qu'on a vu réussir tous les prophètes armés, et finir malheureusement ceux qui étaient désarmés. Sur quoi l'on doit ajouter que les peuples sont naturellement inconstants, et que, s'il est aisé de leur persuader quelque chose, il est difficile de les affermir dans cette persuasion : il faut donc que les choses soient disposées de manière que, lorsqu'ils ne croient plus, on puisse les faire croire par force.

Certainement Moïse, Cyrus, Thésée et Romulus n'auraient pu faire longtemps garder leurs institutions, s'ils avaient été désarmés ; et ils auraient eu le sort qu'a éprouvé de nos jours le frère Jérôme Savonarole*, dont toutes les institutions périrent aussitôt que le grand nombre eut commencé de ne plus croire en lui, attendu qu'il n'avait pas le moyen d'affermir dans leur croyance ceux qui croyaient encore, ni de forcer les mécréants à croire.

Toutefois, répétons que les grands hommes tels que ceux dont il s'agit rencontrent d'extrêmes difficultés ; que tous les dangers sont sur leur route ; que c'est là qu'ils ont à les surmonter ; et que, lorsqu'une fois ils ont traversé ces obstacles, qu'ils ont commencé à être en vénération, et qu'ils se sont délivrés de ceux de même rang qui leur portaient envie, ils demeurent puissants, tranquilles, honorés et heureux.

À ces grands exemples que j'ai cités, j'en veux joindre quelque autre d'un ordre inférieur, mais qui ne soit point trop disproportionné ; et j'en choisis un seul qui suffira : c'est celui de Hiéron de Syracuse. Simple particulier, il devint prince de sa patrie, sans rien devoir de plus à la fortune que la seule occasion. En effet, les Syracusains opprimés l'élurent pour leur général, et ce fut par ses services en cette qualité qu'il mérita d'être encore

---

* Jérôme Savonarole (1452-1498) : moine et prédicateur dominicain. Il exhortait dans des sermons enflammés les Florentins à la repentance. Il réussit à imposer à la ville un régime mi-théocratique mi-démocratique. Excommunié par Alexandre VI et renversé par les Florentins qui s'étaient lassés de son rigorisme, il fut condamné à mort et exécuté en 1498.

élevé au pouvoir suprême. D'ailleurs, dans son premier état de citoyen, il avait montré tant de vertus, qu'il a été dit de lui que pour bien régner il ne lui manquait que d'avoir un royaume. Au surplus, Hiéron détruisit l'ancienne milice et en établit une nouvelle; il abandonna les anciennes alliances pour en contracter d'autres: ayant alors et des soldats et des alliés entièrement à lui, il put, sur de pareils fondements, élever l'édifice qu'il voulut; de sorte que, s'il n'acquit qu'avec beaucoup de peine, il n'en trouva point à conserver.

CHAPITRE VII

DES PRINCIPAUTÉS NOUVELLES QU'ON ACQUIERT
PAR LES ARMES D'AUTRUI ET PAR LA FORTUNE

Ceux qui, de simples particuliers, deviennent princes par la seule faveur de la fortune, le deviennent avec peu de peine; mais ils en ont beaucoup à se maintenir. Aucune difficulté ne les arrête dans leur chemin; ils y volent; mais elles se montrent lorsqu'ils sont arrivés.

Tels sont ceux à qui un État est concédé, soit moyennant une somme d'argent, soit par le bon plaisir du concédant. C'est ainsi qu'une foule de concessions eurent lieu dans l'Ionie et sur les bords de l'Hellespont, où Darius établit divers princes, afin qu'ils gouvernassent ces États pour sa sûreté et pour sa gloire. C'est encore ainsi que furent créés ceux des empereurs qui, du rang de simples citoyens, furent élevés à l'empire par la corruption des soldats. L'existence de tels princes dépend entièrement de deux choses très incertaines, très variables: de la volonté et de la fortune de ceux qui les ont créés; et ils ne savent ni ne peuvent se maintenir dans leur élévation. Ils ne le savent, parce qu'à moins qu'un homme ne soit doué d'un grand esprit et d'une grande valeur, il est peu probable qu'ayant toujours vécu simple particulier, il sache commander; ils ne le peuvent, parce qu'ils n'ont point de forces qui leur soient attachées et fidèles.

De plus, des États subitement formés sont comme toutes les choses qui, dans l'ordre de la nature, naissent et croissent trop promptement: ils ne peuvent avoir des racines assez profondes et des adhérences assez fortes pour que le premier orage ne les renverse point; à moins, comme je viens de le dire, que ceux qui en sont devenus princes n'aient assez d'habileté pour savoir se préparer sur-le-champ à conserver ce que la fortune a mis dans leurs mains, et pour fonder, après l'élévation de leur puissance, les bases qui auraient dû être établies auparavant.

Relativement à ces deux manières de devenir prince, c'est-à-dire par habileté ou par fortune, je veux alléguer deux exemples qui vivent encore dans la mémoire des hommes de nos jours: ce sont ceux de Francesco Sforza et de César Borgia.

Francesco Sforza, par une grande valeur et par le seul emploi des moyens convenables, devint, de simple particulier, duc de Milan; et ce qui lui avait coûté tant de travaux à acquérir, il eut peu de peine à le conserver.

Au contraire, César Borgia, vulgairement appelé le duc de Valentinois, devenu prince par fortune de son père, perdit sa principauté aussitôt que cette même fortune ne le soutint plus, et cela quoiqu'il n'eût rien négligé de tout ce qu'un homme prudent et habile devait faire pour s'enraciner profondément dans les États que les armes d'autrui et la fortune lui avaient donnés. Il n'est pas impossible, en effet, comme je l'ai déjà dit, qu'un homme extrêmement habile pose, après l'élévation de son pouvoir, les bases qu'il n'aurait point fondées auparavant; mais un tel travail est toujours très pénible pour l'architecte, et dangereux pour l'édifice.

Au surplus, si l'on examine attentivement la marche du duc, on verra tout ce qu'il avait fait pour consolider sa grandeur future; et c'est sur quoi il ne paraît pas inutile de m'arrêter un peu ; car l'exemple de ses actions présente sans doute les meilleures leçons qu'on puisse donner à un prince nouveau, et si toutes ses mesures n'eurent en définitive aucun succès pour lui, ce ne fut point par sa faute, mais par une contrariété extraordinaire et sans borne de la fortune.

Alexandre VI, voulant agrandir le duc son fils, y trouva pour le présent et pour l'avenir beaucoup de difficultés. D'abord, il voyait qu'il ne pouvait le rendre maître que de quelque État qui fût du domaine de l'Église, et il savait que le duc de Milan et Venise n'y consentiraient point, d'autant plus que Faenza et Rimini étaient déjà sous la protection des Vénitiens. Il voyait de plus toutes les forces de l'Italie, et spécialement celles dont il aurait pu se servir, dans les mains de ceux qui devaient redouter le plus l'agrandissement du pape ; de sorte qu'il ne pouvait compter nullement sur leur fidélité, car elles étaient sous la dépendance des Orsini, des Colonna, et de leurs partisans. Il ne lui restait donc d'autre parti à prendre que celui de tout brouiller et de semer le désordre entre tous les États de l'Italie, afin de pouvoir en saisir quelques-uns à la faveur des troubles. Cela ne lui fut point difficile. Les Vénitiens, en effet, s'étant déterminés, pour d'autres motifs, à rappeler les Français en Italie, non seulement il ne s'opposa point à ce dessein, mais encore il en facilita l'exécution par la dissolution du mariage déjà bien ancien du roi Louis XII avec Jeanne de France. Ce prince vint donc en Italie avec l'aide des Vénitiens et le consentement du pape ; et à peine fut-il arrivé à Milan, qu'Alexandre en obtint des troupes pour une expédition dans la Romagne, qui lui fut aussitôt abandonnée par l'effet seul de la réputation du roi. Le duc de Valentinois, ayant ainsi acquis cette province, trouva son dessein de s'affermir et de faire des progrès ultérieurs contrarié par deux difficultés : l'une venait de ce que les troupes qu'il avait ne lui paraissaient pas bien fidèles ; l'autre tenait à la volonté du roi, c'est-à-dire que, d'un côté, il craignait que les troupes des Orsini, dont il s'était servi, ne lui manquassent au besoin, et non seulement ne l'empêchassent de faire de nouvelles acquisitions, mais ne lui fissent même perdre celles qu'il avait déjà faites ; de l'autre, il appréhendait que le roi n'en fît tout autant. Quant aux troupes des Orsini, il avait déjà fait quelque épreuve de leurs dispositions, lorsque, après la prise de Faenza, étant allé attaquer Bologne, il les avait vues se conduire très froidement ; et, pour ce qui est du roi, il avait pu lire le fond de sa pensée, lorsque, ayant voulu, après s'être emparé du duché d'Urbin, tourner ses armes contre la Toscane, ce prince l'avait obligé à se désister de son entreprise.

Dans ces circonstances, le duc forma le dessein de se rendre indépendant des armes et de la volonté d'autrui. Pour cela, il commença par affaiblir dans Rome les partis des Orsini et des Colonna, en gagnant tous ceux de leurs adhérents qui étaient nobles, les faisant ses gentilshommes, leur donnant, selon leur qualité, de riches traitements, des honneurs, des commandements de troupes, des gouvernements de places : aussi arriva-t-il qu'en peu de mois l'affection de tous les partis se tourna vers le duc.

Ensuite, lorsqu'il eut dispersé les partisans de la maison Colonna, il attendit l'occasion de détruire ceux des Orsini ; et cette occasion s'étant heureusement présentée pour lui, il sut en profiter plus heureusement encore. En effet, les Orsini, ayant reconnu un peu tard que l'agrandissement du duc et de l'Église serait la cause de leur ruine, tinrent une sorte de diète dans un endroit des États de Pérouse, appelé *la Magione* ; et de cette assemblée s'ensuivirent la révolte d'Urbin, les troubles de la Romagne, et une infinité de dangers que le duc surmonta avec l'aide des Français. Ayant par là rétabli sa réputation, et ne se fiant plus ni à la France ni à aucune autre force étrangère, il eut recours à la ruse, et il sut si bien dissimuler ses sentiments, que les Orsini se réconcilièrent avec lui par l'entremise du seigneur Pagolo, dont il s'était assuré par toutes les marques d'amitié possibles, en lui donnant des habits, de l'argent, des chevaux. Après cette réconciliation, ils eurent la simplicité d'aller se mettre entre ses mains à Sinigaglia.

Ces chefs une fois détruits, et leurs partisans gagnés par le duc, il avait d'autant mieux fondé sa puissance, que, d'ailleurs, maître de la Romagne et du duché d'Urbin, il s'était attaché les habitants en leur faisant goûter un commencement de bien-être. Sur quoi sa conduite pouvant encore servir d'exemple, il n'est pas inutile de la faire connaître.

La Romagne, acquise par le duc, avait eu précédemment pour seigneurs des hommes faibles, qui avaient plutôt dépouillé que gouverné, plutôt divisé que réuni leurs sujets; de sorte que tout ce pays était en proie aux vols, aux brigandages, aux violences de tous les genres. Le duc jugea que, pour y rétablir la paix et l'obéissance envers le prince, il était nécessaire d'y former un bon gouvernement: c'est pourquoi il y commit messer Ramiro d'Orco, homme cruel et expéditif, auquel il donna les plus amples pouvoirs. Bientôt, en effet, ce gouvernement fit naître l'ordre et la tranquillité; et il acquit par là une très grande réputation. Mais ensuite le duc, pensant qu'une telle autorité n'était plus nécessaire, et que même elle pourrait devenir odieuse, établit au centre de la province un tribunal civil, auquel il donna un très bon président, et où chaque commune avait son avocat. Il fit bien davantage: sachant que la rigueur d'abord exercée avait excité quelque haine, et désirant éteindre ce sentiment dans les cœurs, pour qu'ils lui fussent entièrement dévoués, il voulut faire voir que, si quelques cruautés avaient été commises, elles étaient venues, non de lui, mais de la méchanceté de son ministre. Dans cette vue, saisissant l'occasion, il le fit exposer un matin sur la place publique de Césène, coupé en quartiers, avec un billot et un coutelas sanglant à côté. Cet horrible spectacle satisfit le ressentiment des habitants, et les frappa en même temps de terreur. Mais revenons.

Après s'être donné des forces telles qu'il les voulait, et avoir détruit en grande partie celles de son voisinage qui pouvaient lui nuire, le duc, se trouvant très puissant, se croyait presque entièrement assuré contre les dangers actuels; et voulant poursuivre ses conquêtes, il était encore retenu par la considération de la France : car il savait que le roi, qui enfin s'était aperçu de son erreur, ne lui permettrait point de telles entreprises. En conséquence, il commença à rechercher des amitiés nouvelles et à tergiverser avec les Français, lorsqu'ils marchaient vers le royaume de Naples contre les Espagnols, qui faisaient le siège de Gaëte ; il projetait même de les mettre hors d'état de le contrarier ; et il en serait venu bientôt à bout, si Alexandre avait vécu plus longtemps.

Telles furent ses mesures par rapport à l'état présent des choses. Pour l'avenir, il avait d'abord à craindre qu'un nouveau pape ne fût mal disposé à son égard, et ne cherchât à lui enlever ce qu'Alexandre, son père, lui avait donné. C'est à quoi aussi il voulut pourvoir par les quatre moyens suivants : premièrement, en éteignant complètement les races des seigneurs qu'il avait dépouillés, et ne laissant point ainsi au pape les occasions que l'existence de ces races lui aurait fournies ; secondement, en gagnant les gentilshommes de Rome, afin de tenir par eux le pontife en respect ; troisièmement, en s'attachant, autant qu'il le pouvait, le Sacré Collège ; quatrièmement, en se rendant, avant la mort du pape qui vivait alors, assez puissant pour se trouver en état de résister par lui-même à un premier choc. Au moment où Alexandre mourut, trois de ces choses étaient consommées, et il regardait la quatrième comme l'étant à peu près. Il avait effectivement fait périr tous ceux des seigneurs dépouillés qu'il avait pu atteindre ; et fort peu d'entre eux lui avaient échappé : il avait gagné les gentilshommes romains ; il s'était fait un très grand parti dans le Sacré Collège ; et enfin, quant à l'accroissement de sa puissance, il projetait de se rendre maître de la Toscane : ce qui lui semblait facile, puisqu'il l'était déjà de Pérouse et de Piombino, et qu'il avait pris sous sa protection la ville de Pise, sur laquelle il allait se jeter, sans être retenu par la considération de la France, qui ne lui imposait plus ; car déjà les Français avaient été dépouillés du royaume de Naples par les

Espagnols; en sorte que tous les partis se trouvaient dans la nécessité de rechercher l'amitié du duc. Après cela, Lucques et Sienne devaient aussitôt se soumettre, soit par crainte, soit par envie contre les Florentins; et ceux-ci demeuraient alors sans ressources. S'il avait mis tout ce plan à exécution (et il en serait venu à bout dans le courant de l'année où le pape mourut), il se serait trouvé assez de forces et assez de réputation pour se soutenir par lui-même et ne plus dépendre que de sa propre puissance et de sa propre valeur. Mais la mort d'Alexandre survint lorsqu'il n'y avait encore que cinq ans que le duc avait tiré l'épée; et, en ce moment, ce dernier se trouva n'avoir que le seul État de la Romagne bien établi : dans tous les autres, son pouvoir était encore chancelant; il était placé entre deux armées ennemies, et attaqué d'une maladie mortelle.

Cependant, il était doué d'une telle résolution et d'un si grand courage, il savait si bien l'art de gagner les hommes et de les détruire, et les bases qu'il avait données à sa puissance étaient si solides, que s'il n'avait pas eu deux armées sur le dos, ou s'il n'avait pas été malade, il eût surmonté toutes les difficultés. Et ce qui prouve bien la solidité des bases qu'il avait posées, c'est que la Romagne attendit plus d'un mois pour se décider contre lui; c'est que, bien qu'à demi mort, il demeura en sûreté dans Rome, et que les Baglioni, les Vitelli, les Orsini, accourus dans cette ville, ne purent s'y faire un parti contre lui; c'est qu'il put, sinon faire nommer pape qui il voulait, du moins empêcher qu'on ne nommât qui il ne voulait pas. Si sa santé n'eût point éprouvé d'atteinte au moment de la mort d'Alexandre, tout lui aurait été facile. Aussi, me disait-il, lors de la nomination de Jules II, qu'il avait pensé à tout ce qui pouvait arriver si son père venait à mourir, et qu'il avait trouvé remède à tout; mais que seulement il n'avait jamais imaginé qu'en ce moment il se trouverait lui-même en danger de mort.

En résumant donc toute la conduite du duc, non seulement je n'y trouve rien à critiquer, mais il me semble qu'on peut la proposer pour modèle à tous ceux qui sont parvenus au pouvoir souverain par la faveur de la fortune et par les armes d'autrui. Doué d'un grand courage et d'une haute ambition, il ne pouvait se conduire autrement ; et l'exécution de ses desseins ne put être arrêtée que par la brièveté de la vie de son père Alexandre, et par sa propre maladie. Quiconque, dans une principauté nouvelle, jugera qu'il lui est nécessaire de s'assurer contre ses ennemis, de se faire des amis, de vaincre par force ou par ruse, de se faire aimer et craindre des peuples, suivre et respecter par les soldats, de détruire ceux qui peuvent et doivent lui nuire, de remplacer les anciennes institutions par de nouvelles, d'être à la fois sévère et gracieux, magnanime et libéral, de former une milice nouvelle et dissoudre l'ancienne, de ménager l'amitié des rois et des princes, de telle manière que tous doivent aimer à l'obliger et craindre de lui faire injure : celui-là, dis-je, ne peut trouver des exemples plus récents que ceux que présente la vie politique du duc de Valentinois.

La seule chose qu'on ait à reprendre dans sa conduite, c'est la nomination de Jules II, qui fut un choix funeste pour lui. Puisqu'il ne pouvait pas, comme je l'ai dit, faire élire pape qui il voulait, mais empêcher qu'on n'élût qui il ne voulait pas, il ne devait jamais consentir qu'on élevât à la papauté quelqu'un des cardinaux qu'il avait offensés, et qui, devenu souverain pontife, aurait eu sujet de le craindre ; car le ressentiment et la crainte sont surtout ce qui rend les hommes ennemis.

Ceux que le duc avait offensés étaient, entre autres, les cardinaux de Saint-Pierre ès liens, Colonna, Saint-Georges et Ascanio Sforza ; et tous les autres avaient lieu de le craindre, excepté le cardinal d'Amboise, et les Espagnols : ceux-ci, à cause de certaines relations et obligations réciproques, et d'Amboise, parce qu'il avait pour lui la France, ce qui lui donnait un grand pouvoir. Le duc devait donc de préférence faire nommer un Espagnol ; et s'il ne le pouvait pas, consentir plutôt à l'élection d'Amboise qu'à celle du cardinal de Saint-Pierre ès liens. C'est une erreur d'imaginer que, chez les grands personnages, les services récents fassent oublier les anciennes injures. Le duc, en consentant à cette élection de Jules II, fit donc une faute qui fut la cause de sa ruine totale.

CHAPITRE VIII

DE CEUX QUI SONT DEVENUS PRINCES
PAR LES SCÉLÉRATESSES

On peut encore devenir prince de deux manières qui ne tiennent entièrement ni à la fortune ni à la valeur, et que par conséquent il ne faut point passer sous silence; il en est même une dont on pourrait parler plus longuement, s'il s'agissait ici de républiques.

Ces deux manières sont, ou de s'élever au pouvoir souverain par la scélératesse et les forfaits, ou d'y être porté par la faveur de ses concitoyens.

Pour faire connaître la première, qu'il n'est pas question d'examiner ici sous les rapports de la justice et de la morale, je me bornerai à citer deux exemples, l'un ancien, l'autre moderne; car il me semble qu'ils peuvent suffire pour quiconque se trouverait dans la nécessité de les imiter.

Agathocle, Sicilien, parvint non seulement du rang de simple particulier, mais de l'état le plus abject, à être roi de Syracuse. Fils d'un potier, il se montra scélérat dans tous les degrés que parcourut sa fortune; mais il joignit à sa scélératesse tant de force d'âme et de corps, que, s'étant engagé dans la carrière militaire, il s'éleva de grade en grade jusqu'à la dignité de préteur de Syracuse. Parvenu à cette élévation, il voulut être prince, et même posséder par violence, et sans en avoir obligation à personne, le pouvoir souverain qu'on avait consenti à lui accorder. Pour atteindre ce but, s'étant concerté avec Amilcar, général carthaginois qui commandait une armée en Sicile, il convoqua un matin le peuple et le sénat de Syracuse, comme pour délibérer sur des affaires qui concernaient la république; et, à un signal donné, il fit massacrer par ses soldats tous les sénateurs et les citoyens les plus riches, après quoi il s'empara de la principauté, qu'il conserva sans aucune contestation. Dans la suite, battu deux fois par les Carthaginois, et enfin assiégé par eux dans Syracuse, non seulement il put la défendre, mais encore, laissant une partie de ses troupes pour soutenir le siège, il alla avec l'autre porter la guerre en Afrique; de sorte qu'en peu de temps il sut forcer les Carthaginois à lever le siège, et les réduire aux dernières extrémités: aussi furent-ils contraints à faire la paix avec lui, à lui abandonner la possession de la Sicile et à se contenter pour eux de celle de l'Afrique.

Quiconque réfléchira sur la marche et les actions d'Agathocle n'y trouvera presque rien, si même il y trouve quelque chose, qu'on puisse attribuer à la fortune. En effet, comme je viens de le dire, il s'éleva au pouvoir suprême, non par la faveur, mais en passant par tous les grades militaires, qu'il gagna successivement à force de travaux et de dangers; et quand il eut atteint ce pouvoir, il sut s'y maintenir par les résolutions les plus hardies et les plus périlleuses.

Véritablement, on ne peut pas dire qu'il y ait de la valeur à massacrer ses concitoyens, à trahir ses amis, à être sans foi, sans pitié, sans religion: on peut, par de tels moyens, acquérir du pouvoir, mais non de la gloire. Mais si l'on considère avec quel courage Agathocle sut se précipiter dans les dangers et en sortir, avec quelle force d'âme il sut et souffrir et surmonter l'adversité, on ne voit pas pourquoi il devrait être placé au-dessous des meilleurs capitaines. On doit reconnaître seulement que sa cruauté, son inhumanité et ses nombreuses scélératesses, ne permettent pas de le compter au nombre des grands hommes. Bornons-nous donc à conclure qu'on ne saurait attribuer à la fortune ni à la vertu l'élévation qu'il obtint sans l'une et sans l'autre.

De notre temps, et pendant le règne d'Alexandre VI, Oliverotto da Fermo, demeuré plusieurs années auparavant orphelin en bas âge, fut élevé par un oncle maternel nommé Jean Fogliani, et appliqué, dès sa première jeunesse, au métier des armes, sous la discipline de Paolo Vitelli, afin que, formé à une aussi bonne école, il pût parvenir à un haut rang militaire. Après la mort de Paolo, il continua de servir sous Vitelozzo, frère de son premier maître. Bientôt, par son talent, sa force corporelle et son courage intrépide, il devint un des officiers les plus distingués de l'armée. Mais, comme il lui semblait qu'il y avait de la servilité à être sous les ordres et à la solde d'autrui, il forma le projet de se rendre maître de Fermo, tant avec l'aide de quelques citoyens qui préféraient l'esclavage à la liberté de leur patrie, qu'avec l'appui de Vitelozzo. Dans ce dessein, il écrivit à Jean Fogliani, qu'éloigné depuis bien des années de lui et de sa patrie, il voulait aller les revoir, et en même temps reconnaître un peu son patrimoine ; que d'ailleurs tous ses travaux n'ayant pour objet que l'honneur, et désirant que ses concitoyens pussent voir qu'il n'avait pas employé le temps inutilement, il se proposait d'aller se montrer à eux avec une certaine pompe, et accompagné de cent hommes de ses amis et de ses domestiques, à cheval ; qu'en conséquence il le priait de vouloir bien faire en sorte que les habitants de Fermo lui fissent une réception honorable, d'autant que cela tournerait non seulement à sa propre gloire, mais encore à celle de lui, son oncle, dont il était l'élève. Jean Fogliani ne manqua point de faire tout ce qu'il put pour obliger son neveu. Il le fit recevoir honorablement par les habitants ; il le logea dans sa maison, où, après quelques jours employés à faire les préparatifs nécessaires pour l'accomplissement de ses forfaits, Oliverotto donna un magnifique festin, auquel il invita et Jean Fogliani et les citoyens les plus distingués de Fermo. Après tous les services et les divertissements qui ont lieu dans de pareilles fêtes, il mit adroitement la conversation sur des sujets graves, parlant de la grandeur du pape Alexandre, de César, son fils, ainsi que de leurs entreprises. Jean Fogliani et les autres ayant manifesté leur opinion sur ce sujet, il se leva tout à coup, en disant que c'était là des objets à traiter dans un lieu plus retiré; et il passa dans une autre chambre, où les convives le suivirent. Mais à peine furent-ils assis, que des soldats, sortant de divers lieux secrets, les tuèrent tous, ainsi que Jean Fogliani. Aussitôt après ce meurtre, Oliverotto monta à cheval, parcourut le pays, et alla assiéger le magistrat suprême dans son palais; en sorte que la peur contraignit tout le monde à lui obéir et à former un gouvernement dont il se fit le prince. Du reste, tous ceux qui, par mécontentement, auraient pu lui nuire ayant été mis à mort, il consolida tellement son pouvoir par de nouvelles institutions civiles et militaires, que, dans le cours de l'année durant laquelle il le conserva, non seulement il vécut en sûreté chez lui, mais encore il se rendit formidable à ses voisins; et il n'eût pas été moins difficile à vaincre qu'Agathocle, s'il ne se fût pas laissé tromper par César Borgia, et attirer à Sinigaglia, où, un an après le parricide qu'il avait commis, il fut pris avec les Orsini et les Vitelli, comme je l'ai dit ci-dessus, et étranglé, ainsi que Vitelozzo, son maître de guerre et de scélératesse.

Quelqu'un pourra demander pourquoi Agathocle, ou quelque autre tyran semblable, put, malgré une infinité de trahisons et de cruautés, vivre longtemps en sûreté dans sa patrie, se défendre contre ses ennemis extérieurs, et n'avoir à combattre aucune conjuration formée par ses concitoyens; tandis que plusieurs autres, pour avoir été cruels, n'ont pu se maintenir ni en temps de guerre, ni en temps de paix. Je crois que la raison de cela est dans l'emploi bon ou mauvais des cruautés. Les cruautés sont bien employées (si toutefois le mot bien peut être jamais appliqué à ce qui est mal), lorsqu'on les commet toutes à la fois, pour le besoin de pourvoir à sa sûreté, lorsqu'on n'y persiste pas, et qu'on les fait tourner, autant qu'il est possible, à l'avantage des sujets. Elles sont mal employées, au contraire, lorsque, peu nombreuses dans le principe, elles se multiplient avec le temps au lieu de cesser.

Ceux qui en usent bien peuvent, comme Agathocle, avec l'aide de Dieu et des hommes, remédier aux conséquences ; mais, pour ceux qui en usent mal, il leur est impossible de se maintenir.

Sur cela, il est à observer que celui qui usurpe un État doit déterminer et exécuter tout d'un coup toutes les cruautés qu'il doit commettre, pour qu'il n'ait pas à y revenir tous les jours, et qu'il puisse, en évitant de les renouveler, rassurer les esprits et les gagner par des bienfaits. Celui qui, par timidité ou par de mauvais conseils, se conduit autrement, se trouve dans l'obligation d'avoir toujours le glaive en main et il ne peut jamais compter sur ses sujets, tenus sans cesse dans l'inquiétude par des injures continuelles et récentes. Les cruautés doivent être commises toutes à la fois, pour que leur amertume se faisant moins sentir, elles irritent moins ; les bienfaits, au contraire, doivent se succéder lentement, pour qu'ils soient savourés davantage.

Sur toutes choses, le prince doit se conduire envers ses sujets de telle manière qu'on ne le voie point varier selon les circonstances bonnes ou mauvaises. S'il attend d'être contraint par la nécessité à faire le mal ou le bien, il arrivera, ou qu'il ne sera plus à temps de faire le mal, ou que le bien qu'il fera ne lui profitera point ; car on le croira fait par force, et on ne lui en saura aucun gré.

CHAPITRE IX

DE LA PRINCIPAUTÉ CIVILE

Parlons maintenant du particulier devenu prince de sa patrie, non par la scélératesse ou par quelque violence atroce, mais par la faveur de ses concitoyens : c'est ce qu'on peut appeler principauté civile, à laquelle on parvient, non par la seule habileté, non par la seule vertu, mais plutôt par une adresse heureuse.

À cet égard, je dis qu'on est élevé à cette sorte de principauté, ou par la faveur du peuple, ou par celle des grands. Dans tous les pays, en effet, on trouve deux dispositions d'esprit opposées : d'une part, le peuple ne veut être ni commandé ni opprimé par les grands ; de l'autre, les grands désirent de commander et opprimer le peuple ; et ces dispositions contraires produisent un de ces trois effets : ou la principauté, ou la liberté, ou la licence.

La principauté peut être également l'ouvrage soit des grands, soit du peuple, selon ce que fait l'occasion. Quand les grands voient qu'ils ne peuvent résister au peuple, ils recourent au crédit, à l'ascendant de l'un d'entre eux, et ils le font prince, pour pouvoir, à l'ombre de son autorité, satisfaire leurs désirs ambitieux ; et pareillement, quand le peuple ne peut résister aux grands, il porte toute sa confiance vers un particulier, et il le fait prince, pour être défendu par sa puissance.

Le prince élevé par les grands a plus de peine à se maintenir que celui qui a dû son élévation au peuple. Le premier, effectivement, se trouve entouré d'hommes qui se croient ses égaux, et qu'en conséquence il ne peut ni commander ni manier à son gré; le second, au contraire, se trouve seul à son rang, et il n'a personne autour de lui, ou presque personne, qui ne soit disposé à lui obéir. De plus, il n'est guère possible de satisfaire les grands sans quelque injustice, sans quelque injure pour les autres; mais il n'en est pas de même du peuple, dont le but est plus équitable que celui des grands. Ceux-ci veulent opprimer, et le peuple veut seulement n'être point opprimé. Il est vrai que, si le peuple devient ennemi, le prince ne peut s'en assurer, parce qu'il s'agit d'une trop grande multitude; tandis qu'au contraire la chose lui est très aisée à l'égard des grands, qui sont toujours en petit nombre. Mais, au pis aller, tout ce qu'il peut appréhender de la part du peuple, c'est d'en être abandonné, au lieu qu'il doit craindre encore que les grands n'agissent contre lui; car, ayant plus de prévoyance et d'adresse, ils savent toujours se ménager de loin des moyens de salut, et ils cherchent à se mettre en faveur auprès du parti auquel ils comptent que demeurera la victoire. Observons, au surplus, que le peuple avec lequel le prince doit vivre est toujours le même, et qu'il ne peut le changer; mais que, quant aux grands, le changement est facile; qu'il peut chaque jour en faire, en défaire; qu'il peut, à son gré, ou accroître ou faire tomber leur crédit: sur quoi il peut être utile de donner ici quelques éclaircissements.

Je dis donc que, par rapport aux grands, il y a une première et principale distinction à faire entre ceux dont la conduite fait voir qu'ils attachent entièrement leur fortune à celle du prince, et ceux qui agissent différemment.

Les premiers doivent être honorés et chéris, pourvu qu'ils ne soient point enclins à la rapine: quant aux autres, il faut distinguer encore. S'il en est qui agissent ainsi par faiblesse et manque naturel de courage, on peut les employer, surtout si, d'ailleurs, ils sont hommes de bon conseil, parce que le prince s'en fait honneur dans les temps prospères, et n'a rien à en craindre dans l'adversité. Mais pour ceux qui savent bien ce qu'ils font, et qui sont déterminés par des vues ambitieuses, il est visible qu'ils pensent à eux plutôt qu'au prince. Il doit donc s'en défier et les regarder comme s'ils étaient ennemis déclarés; car, en cas d'adversité, ils aident infailliblement à sa ruine.

Pour conclure, voici la conséquence de tout ce qui vient d'être dit. Celui qui devient prince par la faveur du peuple doit travailler à conserver son amitié, ce qui est facile, puisque le peuple ne demande rien de plus que de n'être point opprimé. Quant à celui qui le devient par la faveur des grands, contre la volonté du peuple, il doit, avant toutes choses, chercher à se l'attacher, et cela est facile encore, puisqu'il lui suffit de le prendre sous sa protection. Alors même le peuple lui deviendra plus soumis et plus dévoué que si la principauté avait été obtenue par sa faveur; car, lorsque les hommes reçoivent quelque bien de la part de celui dont ils n'attendaient que du mal, ils en sont beaucoup plus reconnaissants. Du reste, le prince a plusieurs moyens de gagner l'affection du peuple; mais, comme ces moyens varient suivant les circonstances, je ne m'y arrêterai point ici : je répéterai seulement qu'il est d'une absolue nécessité qu'un prince possède l'amitié de son peuple, et que, s'il ne l'a pas, toute ressource lui manque dans l'adversité.

Nabis, prince de Sparte, étant assiégé par toute la Grèce et par une armée romaine qui avait déjà remporté plusieurs victoires, pour résister et défendre sa patrie et son pouvoir contre de telles forces, n'eut à s'assurer, dans un si grand danger, que d'un bien petit nombre de personnes; ce qui, sans doute, eût été loin de lui suffire, s'il avait eu contre lui l'inimitié du peuple.

Qu'on ne m'objecte point le commun proverbe : *Qui se fonde sur le peuple se fonde sur la boue.* Cela est vrai pour un particulier qui compterait sur une seule base, et qui se persuaderait que, s'il était opprimé par ses ennemis ou par les magistrats, le peuple embrasserait sa défense; son espoir serait souvent déçu, comme le fut celui des Gracques à Rome, et de messer Giorgio Scali à Florence. Mais, s'il s'agit d'un prince qui ait le droit de commander, qui soit homme de cœur, qui ne se décourage point dans l'adversité; qui, d'ailleurs, n'ait point manqué de prendre les autres mesures convenables, et qui sache, par sa fermeté, dominer ses sujets, celui-là ne se trouvera point déçu, et il verra qu'en comptant sur le peuple, il s'était fondé sur une base très solide.

Les princes dont il est question ne sont véritablement en danger que lorsque, d'un pouvoir civil, ils veulent faire un pouvoir absolu, soit qu'ils l'exercent par eux-mêmes, soit qu'ils l'exercent par l'organe des magistrats. Mais, dans ce dernier cas, ils se trouvent plus faibles et en plus grand péril, parce qu'ils dépendent de la volonté des citoyens à qui les magistratures sont confiées, et qui, surtout dans les temps d'adversité, peuvent très aisément détruire l'autorité du prince, soit en agissant contre lui, soit seulement en ne lui obéissant point. En vain ce prince voudrait-il alors reprendre pour lui seul l'exercice de son pouvoir, il ne serait plus temps, parce que les citoyens et les sujets, accoutumés à recevoir les ordres de la bouche des magistrats, ne seraient pas disposés, dans des moments critiques, à obéir à ceux qu'il donnerait lui-même. Aussi, dans ces temps incertains, aura-t-il toujours beaucoup de peine à trouver des amis auxquels il puisse se confier.

Un tel prince, en effet, ne doit point se régler sur ce qui se passe dans les temps où règne la tranquillité, et lorsque les citoyens ont besoin de son autorité: alors tout le monde s'empresse, tout le monde se précipite et jure de mourir pour lui, tant que la mort ne se fait voir que dans l'éloignement; mais dans le moment de l'adversité, et lorsqu'il a besoin de tous les citoyens, il n'en trouve que bien peu qui soient disposés à le défendre:

c'est ce que lui montrerait l'expérience ; mais cette expérience est d'autant plus dangereuse à tenter qu'elle ne peut être faite qu'une fois. Le prince doit donc, s'il est doué de quelque sagesse, imaginer et établir un système de gouvernement tel, qu'en quelque temps que ce soit, et malgré toutes les circonstances, les citoyens aient besoin de lui : alors il sera toujours certain de les trouver fidèles.

CHAPITRE X

COMMENT, DANS TOUTE ESPÈCE
DE PRINCIPAUTÉ,
ON DOIT MESURER SES FORCES

En parlant des diverses sortes de principautés, il y a encore une autre chose à considérer: c'est de savoir si le prince a un État assez puissant pour pouvoir, au besoin, se défendre par lui-même, ou s'il se trouve toujours dans la nécessité d'être défendu par un autre.

Pour rendre ma pensée plus claire, je regarde comme étant capables de se défendre par eux-mêmes les princes qui ont assez d'hommes et assez d'argent à leur disposition pour former une armée complète et livrer bataille à quiconque viendrait les attaquer; et, au contraire, je regarde comme ayant toujours besoin du secours d'autrui ceux qui n'ont point les moyens de se mettre en campagne contre l'ennemi, et qui sont obligés de se réfugier dans l'enceinte de leurs murailles et de s'y défendre.

J'ai déjà parlé des premiers, et dans la suite je dirai encore quelques mots de ce qui doit leur arriver.

Quant aux autres, tout ce que je puis avoir à leur dire, c'est de les exhorter à bien munir, à bien fortifier la ville où est établi le siège de leur puissance, et à ne faire aucun compte du reste du pays. Toutes les fois que le prince aura pourvu d'une manière vigoureuse à la défense de sa capitale, et aura su gagner, par les autres actes de son gouvernement, l'affection de ses sujets, ainsi que je l'ai dit et que je le dirai encore, on ne l'attaquera qu'avec une grande circonspection ; car les hommes, en général, n'aiment point les entreprises qui présentent de grandes difficultés ; et il y en a sans doute beaucoup à attaquer un prince dont la ville est dans un état de défense respectable, et qui n'est point haï de ses sujets.

Les villes d'Allemagne jouissent d'une liberté très étendue, quoiqu'elles ne possèdent qu'un territoire très borné ; cependant elles n'obéissent à l'empereur qu'autant qu'il leur plaît, et ne craignent ni sa puissance ni celle d'aucun des autres États qui les entourent : c'est qu'elles sont fortifiées de manière que le siège qu'il faudrait en entreprendre serait une opération difficile et dangereuse ; c'est qu'elles sont toutes entourées de fossés et de bonnes murailles, et qu'elles ont une artillerie suffisante ; c'est qu'elles renferment toujours, dans les magasins publics, des provisions d'aliments, de boissons, de combustibles, pour une année ; elles ont même encore, pour faire subsister les gens du menu peuple, sans perte pour le public, des matières en assez grande quantité pour leur fournir du travail pendant toute une année dans le genre d'industrie et de métier dont ils s'occupent ordinairement, et qui fait la richesse et la vie du pays ; de plus, elles maintiennent les exercices militaires en honneur, et elles ont sur cet article un grand nombre de règlements.

Ainsi donc, un prince dont la ville est bien fortifiée, et qui ne se fait point haïr de ses sujets, ne doit pas craindre d'être attaqué ; et s'il l'était jamais, l'assaillant s'en retournerait avec honte : car les choses de ce monde sont variables ; et il n'est guère possible qu'un ennemi demeure campé toute une année avec ses troupes autour d'une place.

Si l'on m'objectait que les habitants qui ont leurs propriétés au-dehors ne les verraient point livrer aux flammes d'un œil tranquille ; que l'ennui du siège et leur intérêt personnel ne les laisseraient pas beaucoup songer au prince, je répondrais qu'un prince puissant et courageux saura toujours surmonter ces difficultés, soit en faisant espérer à ses sujets que le mal ne sera pas de longue durée, soit en leur faisant craindre la cruauté de l'ennemi, soit en s'assurant avec prudence de ceux qu'il jugerait trop hardis.

D'ailleurs, si l'ennemi brûle et ravage le pays, ce doit être naturellement au moment de son arrivée, c'est-à-dire dans le temps où les esprits sont encore tout échauffés et disposés à la défense : le prince doit donc s'alarmer d'autant moins dans cette circonstance, que, lorsque ces mêmes esprits auront commencé à se refroidir, il se trouvera que le dommage a déjà été fait et souffert, qu'il n'y a plus de remède, et que les habitants n'en deviendront que plus attachés à leur prince, par la pensée qu'il leur est redevable de ce que leurs maisons ont été incendiées et leurs campagnes ravagées pour sa défense. Telle est, en effet, la nature des hommes, qu'ils s'attachent autant par les services qu'ils rendent, que par ceux qu'ils reçoivent. Aussi, tout bien considéré, on voit qu'il ne doit pas être difficile à un prince prudent, assiégé dans sa ville, d'inspirer de la fermeté aux habitants, et de les maintenir dans cette disposition tant que les moyens de se nourrir et de se défendre ne leur manqueront pas.

CHAPITRE XI

DES PRINCIPAUTÉS ECCLÉSIASTIQUES

Il reste maintenant à parler des principautés ecclésiastiques, par rapport auxquelles il n'y a de difficultés qu'à s'en mettre en possession. En effet, on les acquiert, ou par la faveur de la fortune, ou par l'ascendant de la vertu; mais ensuite on n'a besoin, pour les conserver, ni de l'une ni de l'autre: car les princes sont soutenus par les anciennes institutions religieuses, dont la puissance est si grande, et la nature est telle, qu'elles les maintiennent en pouvoir, de quelque manière qu'ils gouvernent et qu'ils se conduisent.

Ces princes seuls ont des États, et ils ne les défendent point; ils ont des sujets, et ils ne les gouvernent point. Cependant leurs États, quoique non défendus, ne leur sont pas enlevés; et leurs sujets, quoique non gouvernés, ne s'en mettent point en peine, et ne désirent ni ne peuvent se détacher d'eux. Ces principautés sont donc exemptes de péril et heureuses. Mais, comme cela tient à des causes supérieures, auxquelles l'esprit humain ne peut s'élever, je n'en parlerai point. C'est Dieu qui les élève et les maintient; et l'homme qui entreprendrait d'en discourir serait coupable de présomption et de témérité.

Cependant, si quelqu'un demande d'où vient que l'Église s'est élevée à tant de grandeur temporelle, et que, tandis qu'avant Alexandre VI, et jusqu'à lui, tous ceux qui avaient quelque puissance en Italie, et non seulement les princes, mais les moindres barons, les moindres seigneurs, redoutaient si peu son pouvoir, quant au temporel, elle en est maintenant venue à faire trembler le roi de France, à le chasser d'Italie, et à ruiner les Vénitiens ; bien que tout le monde en soit instruit, il ne me paraît pas inutile d'en rappeler ici jusqu'à un certain point le souvenir.

Avant que le roi de France Charles VIII vînt en Italie, cette contrée se trouvait soumise à la domination du pape, des Vénitiens, du roi de Naples, du duc de Milan, et des Florentins. Chacune de ces puissances avait à s'occuper de deux soins principaux : l'un était de mettre obstacle à ce que quelque étranger portât ses armes dans l'Italie ; l'autre d'empêcher qu'aucune d'entre elles agrandît ses États. Quant à ce second point, c'était surtout au pape et aux Vénitiens qu'on devait faire attention. Pour contenir ces derniers, il fallait que toutes les autres puissances demeurassent unies, comme il arriva lors de la défense de Ferrare ; et, pour ce qui regarde le pape, on se servait des barons de Rome, qui, divisés en deux factions, savoir, celle des Orsini et celle des Colonna, excitaient continuellement des tumultes, avaient toujours les armes en main, sous les yeux mêmes du pontife, et tenaient sans cesse son pouvoir faible et vacillant. Il y eut bien de temps en temps quelques papes résolus et courageux, tels que Sixte IV ; mais ils ne furent jamais ni assez habiles ni assez heureux pour se délivrer du fâcheux embarras qu'ils avaient à souffrir. D'ailleurs, ils trouvaient un nouvel obstacle dans la brièveté de leur règne : car, dans un intervalle de dix ans, qui est le terme moyen de la durée des règnes des papes, il était à peine possible d'abattre entièrement l'une des factions qui divisaient Rome ; et si, par exemple, un pape avait abattu les Colonna, il survenait un autre pape qui les faisait revivre, parce qu'il était ennemi des Orsini ; mais celui-ci, à son tour, n'avait pas le temps nécessaire pour détruire ces derniers. Voilà pourquoi l'Italie respectait si peu les forces temporelles du pape.

Vint enfin Alexandre VI, qui, de tous les souverains pontifes qui aient jamais été, est celui qui a le mieux fait voir tout ce qu'un pape pouvait entreprendre pour s'agrandir avec les trésors et les armes de l'Église. Profitant de l'invasion des Français, et se servant d'un instrument tel que le duc de Valentinois, il fit tout ce que j'ai raconté ci-dessus en parlant des actions de ce dernier. Il n'avait point sans doute en vue l'agrandissement de l'Église, mais bien celui du duc; cependant ses entreprises tournèrent au profit de l'Église, qui, après sa mort et la ruine du duc, hérita du fruit de leurs travaux.

Bientôt après régna Jules II, qui, trouvant que l'Église était puissante et maîtresse de toute la Romagne; que les barons avaient été détruits, et leurs factions anéanties par les rigueurs d'Alexandre; que d'ailleurs des moyens d'accumuler des richesses jusqu'alors inconnus avaient été introduits, non seulement voulut suivre ces traces, mais encore aller plus loin, et se proposa d'acquérir Bologne, d'abattre les Vénitiens, et de chasser les Français de l'Italie; entreprises dans lesquelles il réussit avec d'autant plus de gloire, qu'il s'y était livré, non pour son intérêt personnel, mais pour celui de l'Église.

Du reste, il sut contenir les partis des Colonna et des Orsini dans les bornes où Alexandre était parvenu à les réduire; et, bien qu'il restât encore entre eux quelques ferments de discorde, néanmoins ils durent demeurer tranquilles, d'abord parce que la grandeur de l'Église leur imposait; et, en second lieu, parce qu'ils n'avaient point de cardinaux parmi eux. C'est aux cardinaux, en effet, qu'il faut attribuer les tumultes; et les partis ne seront jamais tranquilles tant que les cardinaux y seront engagés: ce sont eux qui fomentent les factions, soit dans Rome, soit audehors, et qui forcent les barons à les soutenir; de sorte que les dissensions et les troubles qui éclatent entre ces derniers sont l'ouvrage de l'ambition des prélats.

Voilà donc comment il est arrivé que le pape Léon X[*] a trouvé la papauté toute-puissante; et l'on doit espérer que, si ses prédécesseurs l'ont agrandie par les armes, il la rendra encore par sa bonté, et par toutes ses autres vertus, beaucoup plus grande et plus vénérable.

---

[*] Jean de Médicis (1475-1521), pape en 1513 sous le nom de Léon X, fils de Laurent le Magnigique et oncle de Laurent II, auquel Machiavel a dédié *Le Prince*.

CHAPITRE XII

COMBIEN IL Y A DE SORTES DE MILICES ET DE TROUPES MERCENAIRES

J'ai parlé des qualités propres aux diverses sortes de principautés sur lesquelles je m'étais proposé de discourir; j'ai examiné quelques-unes des causes de leur mal ou de leur bien-être; j'ai montré les moyens dont plusieurs se sont servis, soit pour les acquérir, soit pour les conserver: il me reste maintenant à les considérer sous le rapport de l'attaque et de la défense.

J'ai dit ci-dessus combien il est nécessaire à un prince que son pouvoir soit établi sur de bonnes bases, sans lesquelles il ne peut manquer de s'écrouler. Or, pour tout État, soit ancien, soit nouveau, soit mixte, les principales bases sont de bonnes lois et de bonnes armes. Mais, comme là où il n'y a point de bonnes armes, il ne peut y avoir de bonnes lois, et qu'au contraire il y a de bonnes lois là où il y a de bonnes armes, ce n'est que des armes que j'ai ici dessein de parler.

Je dis donc que les armes qu'un prince peut employer pour la défense de son État lui sont propres, ou sont mercenaires, auxiliaires, ou mixtes, et que les mercenaires et les auxiliaires sont non seulement inutiles, mais même dangereuses.

Le prince dont le pouvoir n'a pour appui que des troupes mercenaires, ne sera jamais ni assuré ni tranquille; car de telles troupes sont désunies, ambitieuses, sans discipline, infidèles, hardies envers les amis, lâches contre les ennemis; et elles n'ont ni crainte de Dieu, ni probité à l'égard des hommes. Le prince ne tardera d'être ruiné qu'autant qu'on différera de l'attaquer. Pendant la paix, il sera dépouillé par ces mêmes troupes; pendant la guerre, il le sera par l'ennemi.

La raison en est, que de pareils soldats servent sans aucune affection, et ne sont engagés à porter les armes que par une légère solde; motif sans doute incapable de les déterminer à mourir pour celui qui les emploie. Ils veulent bien être soldats tant qu'on ne fait point la guerre; mais sitôt qu'elle arrive ils ne savent que s'enfuir et déserter.

C'est ce que je devrais avoir peu de peine à persuader. Il est visible, en effet, que la ruine actuelle de l'Italie vient de ce que, durant un long cours d'années, on s'y est reposé sur des troupes mercenaires, que quelques-uns avaient d'abord employées avec certain succès, et qui avaient paru valeureuses tant qu'elles n'avaient eu affaire que les unes avec les autres; mais qui, aussitôt qu'un étranger survint, se montrèrent telles qu'elles étaient effectivement. De là s'est ensuivi que le roi de France Charles VIII a eu la facilité de s'emparer de l'Italie *la craie à la main*[*]; et celui[**] qui disait que nos péchés en avaient été cause avait raison; mais ces péchés étaient ceux que je viens d'exposer, et non ceux qu'il pensait. Ces péchés, au surplus, avaient été commis par les princes; et ce sont eux aussi qui en ont subi la peine.

Je veux cependant démontrer de plus en plus le malheur attaché à cette sorte d'armes. Les capitaines mercenaires sont ou

---

[*] Mot d'Alexandre VI, rapporté également par Commyne (livre VII, chap. XIV): «Comme a dit ce pape Alexandre qui règne, les Français y sont allés avec [...] de la craie en main des fourriers pour marquer leurs logis, sans autre peine.»
[**] Savonarole.

ne sont pas de bons guerriers : s'ils le sont, on ne peut s'y fier, car ils ne tendent qu'à leur propre grandeur, en opprimant, soit le prince même qui les emploie, soit d'autres contre sa volonté ; s'ils ne le sont pas, celui qu'ils servent est bientôt ruiné.

Si l'on dit que telle sera pareillement la conduite de tout autre chef, mercenaire ou non, je répliquerai que la guerre est faite ou par un prince ou par une république ; que le prince doit aller en personne faire les fonctions de commandant ; et que la république doit y envoyer ses propres citoyens : que si, d'abord celui qu'elle a choisi ne se montre point habile, elle doit le changer ; et que, s'il a de l'habileté, elle doit le contenir par les lois, de telle manière qu'il n'outrepasse point les bornes de sa commission.

L'expérience a prouvé que les princes et les républiques qui font la guerre par leurs propres forces obtenaient seuls de grands succès, et que les troupes mercenaires ne causaient jamais que du dommage. Elle prouve aussi qu'une république qui emploie ses propres armes court bien moins de risque d'être subjuguée par quelqu'un de ses citoyens, que celle qui se sert d'armes étrangères.

Pendant une longue suite de siècles, Rome et Sparte vécurent libres et armées ; la Suisse, dont tous les habitants sont soldats, vit parfaitement libre.

Quant aux troupes mercenaires, on peut citer, dans l'Antiquité, l'exemple des Carthaginois, qui, après leur première guerre contre Rome, furent sur le point d'être opprimés par celles qu'ils avaient à leur service, quoique commandées par des citoyens de Carthage.

On peut remarquer encore qu'après la mort d'Épaminondas, les Thébains confièrent le commandement de leurs troupes à Philippe de Macédoine, et que ce prince se servit de la victoire pour leur ravir leur liberté.

Dans les temps modernes, les Milanais, à la mort de leur duc Philippe Visconti, se trouvaient en guerre contre les Vénitiens ; ils prirent à leur solde Francesco Sforza : celui-ci, ayant vaincu les ennemis à Carravaggio, s'unit avec eux pour opprimer ces mêmes Milanais qui le tenaient à leur solde.

Le père de ce même Sforza, étant au service de la reine Jeanne de Naples, l'avait laissée tout à coup sans troupes; de sorte que, pour ne pas perdre son royaume, cette princesse avait été obligée de se jeter dans les bras du roi d'Aragon.

Si les Vénitiens et les Florentins, en employant de telles troupes, accrurent néanmoins leurs États, et si les commandants, au lieu de les subjuguer, les défendirent, je réponds, pour ce qui regarde les Florentins, qu'ils en furent redevables à leur bonne fortune, qui fit que, de tous les généraux habiles qu'ils avaient et qu'ils pouvaient craindre, les uns ne furent point victorieux; d'autres rencontrèrent des obstacles; d'autres encore tournèrent ailleurs leur ambition.

L'un des premiers fut Giovanni Acuto, dont la fidélité, par cela même qu'il n'avait pas vaincu, ne fut point mise à l'épreuve; mais on doit avouer que, s'il avait remporté la victoire, les Florentins seraient demeurés à sa discrétion.

Sforza fut contrarié par la rivalité des Braccio; rivalité qui faisait qu'ils se contenaient les uns les autres.

Enfin Francesco Sforza et Braccio tournèrent leurs vues ambitieuses, l'un sur la Lombardie, l'autre sur l'Église et sur le royaume de Naples.

Mais voyons ce qui est arrivé il y a peu de temps.

Les Florentins avaient pris pour leur général Paolo Vitelli, homme rempli de capacité, et qui, de l'état de simple particulier, s'était élevé à une très haute réputation. Or, si ce général avait réussi à se rendre maître de Pise, on est forcé d'avouer qu'ils se seraient trouvés sous sa dépendance; car s'il passait à la solde de leurs ennemis, il ne leur restait plus de ressource; et s'ils continuaient de le garder à leur service, ils étaient contraints de se soumettre à ses volontés.

Quant aux Vénitiens, si l'on considère attentivement leurs progrès, on verra qu'ils agirent heureusement et glorieusement tant qu'ils firent la guerre par eux-mêmes, c'est-à-dire avant qu'ils eussent tourné leurs entreprises vers la terre ferme. Dans ces premiers temps, c'étaient les gentilshommes et les citoyens armés qui combattaient; mais, aussitôt qu'ils eurent commencé à porter leurs armes sur la terre ferme, ils dégénérèrent de cette ancienne vertu, et ils suivirent les usages de l'Italie. D'abord, et dans le principe de leur agrandissement, leur domaine étant peu étendu, et leur réputation très grande, ils eurent peu à craindre de leurs commandants; mais, à mesure que leur État s'accrut, ils éprouvèrent bientôt l'effet de l'erreur commune: ce fut sous Carmignola. Ayant connu sa grande valeur par les victoires remportées sous son commandement sur le duc de Milan, mais voyant, d'un autre côté, qu'il ne faisait plus que très froidement la guerre, ils jugèrent qu'ils ne pourraient plus vaincre, tant qu'il vivrait; car ils ne voulaient ni ne pouvaient le licencier, de peur de perdre ce qu'ils avaient conquis, et en conséquence ils furent obligés, pour leur sûreté, de le faire périr.

Dans la suite, ils eurent pour commandants Bartolommeo de Bergame, Roberto de San Severino, le comte de Pittigliano, et autres capitaines semblables. Mais tous donnèrent bien moins lieu d'appréhender de leurs victoires, que de craindre des défaites semblables à celle de Vailà, qui, dans une seule journée, fit perdre aux Vénitiens le fruit de huit cents ans de travaux; car, avec les troupes dont il s'agit, les progrès sont lents, tardifs et faibles, les pertes sont subites et prodigieuses.

Mais, puisque j'en suis venu à citer des exemples pris dans l'Italie, où le système des troupes mercenaires a prévalu depuis bien des années, je veux reprendre les choses de plus haut, afin qu'instruit de l'origine et des progrès de ce système, on puisse mieux y porter remède.

Il faut donc savoir que lorsque, dans les derniers temps, l'empire eut commencé à être repoussé de l'Italie, et que le pape eut acquis plus de crédit, quant au temporel, elle se divisa en un grand nombre d'États. Plusieurs grandes villes, en effet, prirent les armes contre leurs nobles, qui, à l'ombre de l'autorité impériale, les tenaient sous l'oppression, et elles se rendirent indépendantes, favorisées en cela par l'Église, qui cherchait à accroître le crédit qu'elle avait gagné. Dans plusieurs autres villes, le pouvoir suprême fut usurpé ou obtenu par quelque citoyen qui s'y établit prince. De là s'ensuivit que la plus grande partie de l'Italie se trouva sous la dépendance, et en quelque sorte sous la domination de l'Église ou de quelque république ; et comme des prêtres, des citoyens paisibles, ne connaissaient nullement le maniement des armes, on commença à solder des étrangers. Le premier qui mit ce genre de milice en honneur fut Alberigo da Como, natif de la Romagne : c'est sous sa discipline que se formèrent, entre autres, Braccio et Sforza, qui furent, de leur temps, les arbitres de l'Italie, et après lesquels on a eu successivement tous ceux qui, jusqu'à nos jours, ont tenu dans leurs mains le commandement de ses armées ; et tout le fruit que cette malheureuse contrée a recueilli de la valeur de tous ces guerriers, a été de se voir prise à la course par Charles VIII, ravagée par Louis XII, subjuguée par Ferdinand, et insultée par les Suisses.

La marche qu'ils ont suivie pour se mettre en réputation a été de décrier l'infanterie. C'est que, d'un côté, un petit nombre de fantassins ne leur aurait point acquis une grande considération, et que, de l'autre, ne possédant point d'État, et ne subsistant que de leur industrie, ils n'avaient pas les moyens d'en entretenir beaucoup. Ils s'étaient donc bornés à avoir de la cavalerie, dont une médiocre quantité suffisait pour qu'ils fussent bien soldés et honorés : par là, les choses en étaient venues au point que, sur une armée de vingt mille hommes, il n'y en avait pas deux mille d'infanterie.

De plus, ils employaient toutes sortes de moyens pour s'épargner à eux-mêmes, ainsi qu'à leurs soldats, toute fatigue et tout danger : ils ne se tuaient point les uns les autres dans les combats, et se bornaient à faire des prisonniers qu'ils renvoyaient sans rançon ; s'ils assiégeaient une place, ils ne faisaient aucune attaque de nuit; et les assiégés, de leur côté, ne profitaient pas des ténèbres pour faire des sorties : ils ne faisaient autour de leur camp ni fossés, ni palissades; enfin ils ne tenaient jamais la campagne durant l'hiver. Tout cela était dans l'ordre de leur discipline militaire; ordre qu'ils avaient imaginé tout exprès pour éviter les périls et les travaux, mais par où aussi ils ont conduit l'Italie à l'esclavage et à l'avilissement.

CHAPITRE XIII

DES TROUPES AUXILIAIRES, MIXTES ET PROPRES

Les armes auxiliaires que nous avons dit être également inutiles, sont celles de quelque État puissant qu'un autre État appelle à son secours et à sa défense. C'est ainsi que, dans ces derniers temps, le pape Jules II ayant fait, dans son entreprise contre Ferrare, la triste expérience des armes mercenaires, eut recours aux auxiliaires et traita avec Ferdinand, roi d'Espagne, pour que celui-ci l'aidât de ses troupes.

Les armes de ce genre peuvent être bonnes en elles-mêmes; mais elles sont toujours dommageables à celui qui les appelle; car si elles sont vaincues, il se trouve lui-même défait, et si elles sont victorieuses, il demeure dans leur dépendance.

On en voit de nombreux exemples dans l'histoire ancienne; mais arrêtons-nous un moment à celui de Jules II, qui est tout récent.

Ce fut sans doute une résolution bien peu réfléchie que celle qu'il prit de se livrer aux mains d'un étranger pour avoir Ferrare. S'il n'en éprouva point toutes les funestes conséquences, il en fut redevable à son heureuse étoile, qui l'en préserva par un accident qu'elle fit naître : c'est que ses auxiliaires furent vaincus à Ravenne, et qu'ensuite survinrent les Suisses, qui, contre toute attente, chassèrent les vainqueurs ; de sorte qu'il ne demeura prisonnier ni de ceux-ci, qui étaient ses ennemis, ni de ses auxiliaires, qui enfin ne se trouvèrent victorieux que par les armes d'autrui.

Les Florentins, se trouvant désarmés, prirent à leur solde dix mille Français qu'ils conduisirent à Pise, dont ils voulaient se rendre maîtres ; et par là ils s'exposèrent à plus de dangers qu'ils n'en avaient couru dans le temps de leurs plus grandes adversités.

Pour résister à ses ennemis, l'empereur de Constantinople introduisit dans la Grèce dix mille Turcs, qui, lorsque la guerre fut terminée, ne voulurent plus se retirer : ce fut cette mesure funeste qui commença à courber les Grecs sous le joug des infidèles.

Voulez-vous donc vous mettre dans l'impuissance de vaincre ; employez des troupes auxiliaires, beaucoup plus dangereuses encore que les mercenaires. Avec les premières, en effet, votre ruine est toute préparée ; car ces troupes sont toutes unies et toutes formées à obéir à un autre que vous ; au lieu que, quant aux mercenaires, pour qu'elles puissent agir contre vous, et vous nuire après avoir vaincu, il leur faut et plus de temps et une occasion plus favorable : elles ne forment point un seul corps ; c'est vous qui les avez rassemblées, c'est par vous qu'elles sont payées. Quel que soit donc le chef que vous leur ayez donné, il n'est pas possible qu'il prenne à l'instant sur elles une telle autorité qu'il puisse s'en servir contre vous-même. En un mot, ce qu'on doit craindre des troupes mercenaires, c'est leur lâcheté ; avec des troupes auxiliaires, c'est leur valeur. Aussi les princes sages ont-ils toujours répugné à employer ces deux sortes de troupes, et ont-ils préféré leurs propres forces, aimant mieux être battus avec celles-ci que victorieux avec celles d'autrui ; et ne regardant point comme une vraie victoire celle dont ils peuvent être redevables à des forces étrangères.

Ici, je n'hésiterai point à citer encore César Borgia et sa

manière d'agir. Ce duc entra dans la Romagne avec des forces auxiliaires composées uniquement de troupes françaises, avec lesquelles il s'empara d'Imola et de Forli; mais jugeant bientôt que de telles forces n'étaient pas bien sûres, il recourut aux mercenaires, dans lesquelles il voyait moins de péril; et, en conséquence, il prit à sa solde les Orsini et les Vitelli. Trouvant néanmoins, en les employant, que celles-ci étaient incertaines, infidèles et dangereuses, il embrassa le parti de les détruire et de ne plus recourir qu'aux siennes propres.

La différence entre ces divers genres d'armes fut bien démontrée par la différence entre la réputation qu'avait le duc lorsqu'il se servait des Orsini et des Vitelli, et celle dont il jouit quand il ne compta plus que sur lui-même et sur ses propres soldats: celle-ci alla toujours croissant, et jamais il ne fut plus considéré que lorsque tout le monde le vit maître absolu de ses armes.

Je voulais m'en tenir aux exemples récents fournis par l'Italie; mais je ne puis passer sous silence celui d'Hiéron de Syracuse, dont j'ai déjà parlé. Celui-ci, mis par les Syracusains à la tête de leur armée, reconnut bientôt l'inutilité des troupes mercenaires qu'ils soldaient, et dont les chefs ressemblaient en tout aux *condottieri* que nous avons eus en Italie. Convaincu d'ailleurs qu'il ne pouvait sûrement ni conserver ces chefs, ni les licencier, il prit le parti de les faire tailler en pièces; après, il fit la guerre, avec ses propres armes, et non avec celles d'autrui.

Qu'il me soit permis de rappeler encore ici un trait que l'on trouve dans l'Ancien Testament, et que l'on peut regarder comme une figure sur ce sujet. David s'étant proposé pour aller combattre le Philistin Goliath, qui défiait les Israélites, Saül, afin de l'encourager, le revêtit de ses propres armes; mais David, après les avoir essayées, les refusa, en disant qu'elles gêneraient l'usage de ses forces personnelles, et qu'il voulait n'affronter l'ennemi qu'avec sa fronde et son coutelas. En effet, les armes d'autrui, ou sont trop larges pour bien tenir sur votre corps, ou le fatiguent de leur poids, ou le serrent et en gênent les mouvements.

Charles VII, père de Louis XI, ayant par sa fortune et par sa valeur délivré la France des Anglais, reconnut la nécessité d'avoir des forces à soi, et forma dans son royaume des compagnies réglées de gendarmes et de fantassins. Dans la suite, Louis, son fils, supprima l'infanterie et commença de prendre des Suisses à sa solde; mais cette erreur, qui en entraîna d'autres, a été cause, comme nous le voyons, des dangers courus par la France. En effet, en mettant ainsi les Suisses en honneur, Louis a en quelque sorte anéanti toutes ses propres troupes: d'abord il a totalement détruit l'infanterie; et quant à la gendarmerie, il l'a rendue dépendante des armes d'autrui, en l'accoutumant tellement à ne combattre que conjointement avec les Suisses, qu'elle ne croit plus pouvoir vaincre sans eux. De là vient aussi que les Français ne peuvent tenir contre les Suisses, et que sans les Suisses ils ne tiennent point contre d'autres troupes. Ainsi les armées françaises sont actuellement mixtes, c'est-à-dire composées en partie de troupes mercenaires, et en partie de troupes nationales; composition qui les rend sans doute beaucoup meilleures que des armées formées en entier de mercenaires ou d'auxiliaires, mais très inférieures à celles où il n'y aurait que des corps nationaux.

Si l'ordre établi par Charles VII avait été conservé et amélioré, la France serait devenue invincible. Mais la faible prudence humaine se laisse séduire par l'apparente bonté qui, dans bien des choses, couvre le venin qu'elles renferment, et qu'on ne reconnaît que dans la suite, comme dans ces fièvres d'étisie dont j'ai précédemment parlé. Cependant le prince qui ne sait voir le mal que lorsqu'il se montre à tous les yeux, n'est pas doué de cette habileté qui n'est donnée qu'à un petit nombre d'hommes.

Si l'on recherche la principale source de la ruine de l'Empire romain, on la trouvera dans l'introduction de l'usage de prendre des Goths à sa solde: par là, en effet, on commença à énerver les troupes nationales, de telle sorte que toute la valeur qu'elles perdaient tournait à l'avantage des barbares.

Je conclus donc qu'aucun prince n'est en sûreté s'il n'a des forces qui lui soient propres: se trouvant sans défense contre l'adversité, son sort dépend en entier de la fortune. Or les hommes éclairés ont toujours pensé et dit qu'il n'y a rien d'aussi frêle et d'aussi fugitif qu'un crédit qui n'est pas fondé sur notre propre puissance[*].

J'appelle, au surplus, forces propres, celles qui sont composées de citoyens, de sujets, de créatures du prince. Toutes les autres sont ou mercenaires ou auxiliaires.

Et quant aux moyens et à la manière d'avoir ces forces propres, on les trouvera aisément, si l'on réfléchit sur les établissements dont j'ai eu l'occasion de parler. On verra comment Philippe, père d'Alexandre le Grand, comment une foule d'autres princes et de républiques, avaient su se donner des troupes nationales et les organiser. Je m'en rapporte à l'instruction qu'on peut tirer de ces exemples.

---

[*] Cité d'après Tacite, *Annales*, XIII, 19.

CHAPITRE XIV

DES FONCTIONS QUI APPARTIENNENT
AU PRINCE, PAR RAPPORT À LA MILICE

La guerre, les institutions et les règles qui la concernent sont le seul objet auquel un prince doive donner ses pensées et son application, et dont il lui convienne de faire son métier : c'est là la vraie profession de quiconque gouverne ; et par elle, non seulement ceux qui sont nés princes peuvent se maintenir, mais encore ceux qui sont nés simples particuliers peuvent souvent devenir princes. C'est pour avoir négligé les armes, et leur avoir préféré les douceurs de la mollesse, qu'on a vu des souverains perdre leurs États. Mépriser l'art de la guerre, c'est faire le premier pas vers sa ruine ; le posséder parfaitement, c'est le moyen de s'élever au pouvoir. Ce fut par le continuel maniement des armes que Francesco Sforza parvint de l'état de simple particulier au rang de duc de Milan ; et ce fut parce qu'ils en avaient craint les dégoûts et la fatigue que ses enfants tombèrent du rang de ducs à l'état de simples particuliers.

Une des fâcheuses conséquences, pour un prince, de la négligence des armes, c'est qu'on vient à le mépriser ; abjection de laquelle il doit sur toute chose se préserver, comme je le dirai ci-après. Il est, en effet, comme un homme désarmé, entre lequel et un homme armé la disproportion est immense. Il n'est pas naturel non plus que le dernier obéisse volontiers à l'autre; et un maître sans armes ne peut jamais être en sûreté parmi des serviteurs qui en ont: ceux-ci sont en proie au dépit, l'autre l'est aux soupçons; et des hommes qu'animent de tels sentiments ne peuvent pas bien vivre ensemble. Un prince qui n'entend rien à l'art de la guerre peut-il se faire estimer de ses soldats et avoir confiance en eux? Il doit donc s'appliquer constamment à cet art, et s'en occuper principalement durant la paix, ce qu'il peut faire de deux manières, c'est-à-dire en y exerçant également son corps et son esprit. Il exercera son corps, d'abord en bien faisant manœuvrer ses troupes, et, en second lieu, en s'adonnant à la chasse, qui l'endurcira à la fatigue, et qui lui apprendra en même temps à connaître l'assiette des lieux, l'élévation des montagnes, la direction des vallées, le gisement des plaines, la nature des rivières et des marais, toutes choses auxquelles il doit donner la plus grande attention.

Il trouvera en cela deux avantages: le premier est que, connaissant bien son pays, il saura beaucoup mieux le défendre; le second est que la connaissance d'un pays rend beaucoup plus facile celle d'un autre qu'il peut être nécessaire d'étudier; car, par exemple, les montagnes, les vallées, les plaines, les rivières de la Toscane ont une grande ressemblance avec celles des autres contrées. Cette connaissance est d'ailleurs très importante, et le prince qui ne l'a point manque d'une des premières qualités que doit avoir un capitaine; car c'est par elle qu'il sait découvrir l'ennemi, prendre ses logements, diriger la marche de ses troupes, faire ses dispositions pour une bataille, assiéger les places avec avantage.

Parmi les éloges qu'on a faits de Philopœmen, chef des Achéens, les historiens le louent surtout de ce qu'il ne pensait jamais qu'à l'art de la guerre; de sorte que, lorsqu'il parcourait la campagne avec ses amis, il s'arrêtait souvent pour résoudre des questions qu'il leur proposait, telles que les suivantes: «Si l'ennemi était sur cette colline, et nous ici, qui serait posté plus avantageusement? Comment pourrions-nous aller à lui avec sûreté et sans mettre le désordre dans nos rangs? Si nous avions à battre en retraite, comment nous y prendrions-nous? S'il se retirait lui-même, comment pourrions-nous le poursuivre?» C'est ainsi que, tout en allant, il s'instruisait avec eux des divers accidents de guerre qui peuvent survenir; qu'il recueillait leurs opinions; qu'il exposait la sienne, et qu'il l'appuyait par divers raisonnements. Il était résulté aussi de cette continuelle attention que, dans la conduite des armées, il ne pouvait se présenter aucun accident auquel il ne sût remédier sur-le-champ.

Quant à l'exercice de l'esprit, le prince doit lire les historiens, y considérer les actions des hommes illustres, examiner leur conduite dans la guerre, rechercher les causes de leurs victoires et celles de leurs défaites, et étudier ainsi ce qu'il doit imiter et ce qu'il doit fuir. Il doit faire surtout ce qu'ont fait plusieurs grands hommes, qui, prenant pour modèle quelque ancien héros bien célèbre, avaient sans cesse sous leurs yeux ses actions et toute sa conduite, et les prenaient pour règles. C'est ainsi qu'on dit qu'Alexandre le Grand imitait Achille, que César imitait Alexandre, et que Scipion prenait Cyrus pour modèle. En effet, quiconque aura lu la vie de Cyrus dans Xénophon trouvera dans celle de Scipion combien l'imitation qu'il s'était proposée contribua à sa gloire, et combien, quant à la chasteté, l'affabilité, l'humanité, la libéralité, il se conformait à tout ce qui avait été dit de son modèle par Xénophon dans sa *Cyropédie*.

Voilà ce que doit faire un prince sage, et comment, durant la paix, loin de rester oisif, il peut se prémunir contre les accidents de la fortune, en sorte que, si elle lui devient contraire, il se trouve en état de résister à ses coups.

CHAPITRE XV

DES CHOSES POUR LESQUELLES TOUS LES HOMMES, ET SURTOUT LES PRINCES, SONT LOUÉS OU BLÂMÉS

Il reste à examiner comment un prince doit en user et se conduire, soit envers ses sujets, soit envers ses amis. Tant d'écrivains en ont parlé, que peut-être on me taxera de présomption si j'en parle encore ; d'autant plus qu'en traitant cette matière je vais m'écarter de la route commune. Mais, dans le dessein que j'ai d'écrire des choses utiles pour celui qui me lira, il m'a paru qu'il valait mieux s'arrêter à la réalité des choses que de me livrer à de vaines spéculations.

Bien des gens ont imaginé des républiques et des principautés telles qu'on n'en a jamais vu ni connu. Mais à quoi servent ces imaginations ? Il y a si loin de la manière dont on vit à celle dont on devrait vivre, qu'en n'étudiant que cette dernière on apprend plutôt à se ruiner qu'à se conserver ; et celui qui veut en tout et partout se montrer homme de bien ne peut manquer de périr au milieu de tant de méchants.

Il faut donc qu'un prince qui veut se maintenir apprenne à ne pas être toujours bon, et en user bien ou mal, selon la nécessité.

Laissant, par conséquent, tout ce qu'on a pu imaginer touchant les devoirs des princes, et m'en tenant à la réalité, je dis qu'on attribue à tous les hommes, quand on en parle, et surtout aux princes, qui sont plus en vue, quelqu'une des qualités suivantes, qu'on cite comme un trait caractéristique, et pour laquelle on les loue ou on les blâme. Ainsi l'un est réputé généreux et un autre *misérable* (je me sers ici d'une expression toscane, car, dans notre langue, l'avare est celui qui est avide et enclin à la rapine, et nous appelons *misérable [misero]* celui qui s'abstient trop d'user de son bien); l'un est bienfaisant, et un autre avide; l'un cruel, et un autre compatissant; l'un sans foi, et un autre fidèle à sa parole; l'un efféminé et craintif, et un autre ferme et courageux; l'un débonnaire, et un autre orgueilleux; l'un dissolu, et un autre chaste; l'un franc, et un autre rusé; l'un dur, et un autre facile; l'un grave, et un autre léger; l'un religieux, et un autre incrédule, etc.

Il serait très beau, sans doute, et chacun en conviendra, que toutes les bonnes qualités que je viens d'énoncer se trouvassent réunies dans un prince. Mais, comme cela n'est guère possible, et que la condition humaine ne le comporte point, il faut qu'il ait au moins la prudence de fuir ces vices honteux qui lui feraient perdre ses États. Quant aux autres vices, je lui conseille de s'en préserver, s'il le peut; mais s'il ne le peut pas, il n'y aura pas un grand inconvénient à ce qu'il s'y laisse aller avec moins de retenue; il ne doit pas même craindre d'encourir l'imputation de certains défauts sans lesquels il lui serait difficile de se maintenir; car, à bien examiner les choses, on trouve que, comme il y a certaines qualités qui semblent être des vertus et qui feraient la ruine du prince, de même il en est d'autres qui paraissent être des vices, et dont peuvent résulter néanmoins sa conservation et son bien-être.

CHAPITRE XVI

DE LA LIBÉRALITÉ ET DE L'AVARICE

Commençant par les deux premières qualités énoncées ci-dessus, je dis qu'il serait bon pour un prince d'être réputé libéral; cependant la libéralité peut être exercée de telle manière qu'elle ne fasse que lui nuire sans aucun profit; car si elle l'est avec distinction, et selon les règles de la sagesse, elle sera peu connue, elle fera peu de bruit, et elle ne le garantira même point de l'imputation de la qualité contraire.

Si un prince veut se faire dans le monde la réputation de libéral, il faut nécessairement qu'il n'épargne aucune sorte de somptuosité; ce qui l'obligera à épuiser son trésor par ce genre de dépenses; d'où il s'ensuivra que, pour conserver la réputation qu'il s'est acquise, il se verra enfin contraint à grever son peuple de charges extraordinaires, à devenir fiscal, et à faire, en un mot, tout ce qu'on peut faire pour avoir de l'argent. Aussi commencera-t-il bientôt à être odieux à ses sujets, et à mesure qu'il s'appauvrira, il sera bien moins considéré. Ainsi, ayant, par sa libéralité, gratifié bien peu d'individus, et déplu à un très grand nombre, le moindre embarras sera considérable pour lui, et le plus léger revers le mettra en danger : que si, connaissant son erreur, il veut s'en retirer, il verra aussitôt rejaillir sur lui la honte attachée au nom d'avare.

Le prince, ne pouvant donc, sans fâcheuse conséquence, exercer la libéralité de telle manière qu'elle soit bien connue, doit, s'il a quelque prudence, ne pas trop appréhender le renom d'avare, d'autant plus qu'avec le temps il acquerra de jour en jour celui de libéral. En voyant, en effet, qu'au moyen de son économie ses revenus lui suffisent, et qu'elle le met en état, soit de se défendre contre ses ennemis, soit d'exécuter des entreprises utiles, sans surcharger son peuple, il sera réputé libéral par tous ceux, en nombre infini, auxquels il ne prendra rien ; et le reproche d'avarice ne lui sera fait que par ce peu de personnes qui ne participent point à ses dons.

De notre temps, nous n'avons vu exécuter de grandes choses que par les princes qui passaient pour avares ; tous les autres sont demeurés dans l'obscurité. Le pape Jules II s'était bien fait, pour parvenir au pontificat, la réputation de libéralité ; mais il ne pensa nullement ensuite à la consolider, ne songeant qu'à pouvoir faire la guerre au roi de France ; guerre qu'il fit, ainsi que plusieurs autres, sans mettre aucune imposition extraordinaire ; car sa constante économie fournissait à toutes les dépenses. Si le roi d'Espagne actuel avait passé pour libéral, il n'aurait ni formé, ni exécuté autant d'entreprises.

Un prince qui veut n'avoir pas à dépouiller ses sujets pour pouvoir se défendre, et ne pas se rendre pauvre et méprisé, de peur de devenir rapace, doit craindre peu qu'on le taxe d'avarice, puisque c'est là une de ces mauvaises qualités qui le font régner.

Si l'on dit que César s'éleva à l'empire par sa libéralité, et que la réputation de libéral a fait parvenir bien des gens aux rangs les plus élevés, je réponds : ou vous êtes déjà effectivement prince, ou vous êtes en voie de le devenir. Dans le premier cas, la libéralité vous est dommageable ; dans le second, il faut nécessairement que vous en ayez la réputation : or c'est dans ce second cas que se trouvait César, qui aspirait au pouvoir souverain dans Rome. Mais si, après y être parvenu, il eût encore vécu longtemps et n'eût point modéré ses dépenses, il aurait renversé lui-même son empire.

Si l'on insiste, et que l'on dise encore que plusieurs princes ont régné et exécuté de grandes choses avec leurs armées, et quoiqu'ils eussent cependant la réputation d'être très libéraux, je répliquerai: le prince dépense ou de son propre bien et de celui de ses sujets, ou du bien d'autrui: dans le premier cas il doit être économe; dans le second il ne saurait être trop libéral.

Pour le prince, en effet, qui va conquérant avec ses armées, vivant de dépouilles, de pillage, de contributions, et usant du bien d'autrui, la libéralité lui est nécessaire, car sans elle il ne serait point suivi par ses soldats. Rien ne l'empêche aussi d'être distributeur généreux, ainsi que le furent Cyrus, César et Alexandre, de ce qui n'appartient ni à lui-même ni à ses sujets. En prodiguant le bien d'autrui, il n'a point à craindre de diminuer son crédit; il ne peut, au contraire, que l'accroître: c'est la prodigalité de son propre bien qui pourrait seule lui nuire.

Enfin la libéralité, plus que toute autre chose, se dévore elle-même; car, à mesure qu'on l'exerce, on perd la faculté de l'exercer encore: on devient pauvre, méprisé, ou bien rapace et odieux. Le mépris et la haine sont sans doute les écueils dont il importe le plus aux princes de se préserver. Or la libéralité conduit infailliblement à l'un et à l'autre. Il est donc plus sage de se résoudre à être appelé avare, qualité qui n'attire que du mépris sans haine, que de se mettre, pour éviter ce nom, dans la nécessité d'encourir la qualification de rapace, qui engendre le mépris et la haine tout ensemble.

CHAPITRE XVII

DE LA CRUAUTÉ ET DE LA CLÉMENCE,
ET S'IL VAUT MIEUX ÊTRE AIMÉ QUE CRAINT

Continuant à suivre les autres qualités précédemment énoncées, je dis que tout prince doit désirer d'être réputé clément et non cruel. Il faut pourtant bien prendre garde de ne point user mal à propos de la clémence. César Borgia passait pour cruel, mais sa cruauté rétablit l'ordre et l'union dans la Romagne; elle y ramena la tranquillité et l'obéissance. On peut dire aussi, en considérant bien les choses, qu'il fut plus clément que le peuple florentin, qui, pour éviter le reproche de cruauté, laissa détruire la ville de Pistoia.

Un prince ne doit donc point s'effrayer de ce reproche, quand il s'agit de contenir ses sujets dans l'union et la fidélité. En faisant un petit nombre d'exemples de rigueur, vous serez plus clément que ceux qui, par trop de pitié, laissent s'élever des désordres d'où s'ensuivent les meurtres et les rapines; car ces désordres blessent la société tout entière, au lieu que les rigueurs ordonnées par le prince ne tombent que sur des particuliers.

Mais c'est surtout à un prince nouveau qu'il est impossible

de faire le reproche de cruauté, parce que, dans les États nouveaux, les dangers sont très multipliés. C'est cette raison aussi que Virgile met dans la bouche de Didon, lorsqu'il lui fait dire, pour excuser la rigueur de son gouvernement:

> Res dura et regni novitas me talia cogunt
> Moliri, et latè fines custode tueri.

VIRGILE, Æneid., lib. I[*].

Il doit toutefois ne croire et n'agir qu'avec une grande maturité, ne point s'effrayer lui-même, et suivre en tout les conseils de la prudence, tempérés par ceux de l'humanité; en sorte qu'il ne soit point imprévoyant par trop de confiance, et qu'une défiance excessive ne le rende point intolérable.

Sur cela s'est élevée la question de savoir: *S'il vaut mieux être aimé que craint, ou être craint qu'aimé?*

On peut répondre que le meilleur serait d'être l'un et l'autre. Mais, comme il est très difficile que les deux choses existent ensemble, je dis que, si l'une doit manquer, il est plus sûr d'être craint que d'être aimé. On peut, en effet, dire généralement des hommes qu'ils sont ingrats, inconstants, dissimulés, tremblants devant les dangers, et avides de gain; que, tant que vous leur faites du bien, ils sont à vous; qu'ils vous offrent leur sang, leurs biens, leur vie, leurs enfants, tant, comme je l'ai déjà dit, que le péril ne s'offre que dans l'éloignement; mais que, lorsqu'il s'approche, ils se détournent bien vite. Le prince qui se serait entièrement reposé sur leur parole, et qui, dans cette confiance, n'aurait point pris d'autres mesures, serait bientôt perdu; car toutes ces amitiés, achetées par des largesses, et non accordées par générosité et grandeur d'âme, sont quelquefois, il est vrai, bien méritées, mais on ne les possède pas effectivement; et, au moment de les employer, elles manquent toujours. Ajoutons

---

[*] *Enéide* I, 563-564: *Les difficultés où je suis et la nouveauté de mon règne m'obligent à prendre ces mesures et à fortifier mes frontières.*

qu'on appréhende beaucoup moins d'offenser celui qui se fait aimer que celui qui se fait craindre ; car l'amour tient par un lien de reconnaissance bien faible pour la perversité humaine, et qui cède au moindre motif d'intérêt personnel ; au lieu que la crainte résulte de la menace du châtiment, et cette peur ne s'évanouit jamais.

Cependant le prince qui veut se faire craindre doit s'y prendre de telle manière que, s'il ne gagne point l'affection, il ne s'attire pas non plus la haine ; ce qui, du reste, n'est point impossible ; car on peut fort bien tout à la fois être craint et n'être pas haï ; et c'est à quoi aussi il parviendra sûrement, en s'abstenant d'attenter, soit aux biens de ses sujets, soit à l'honneur de leurs femmes. S'il faut qu'il en fasse périr quelqu'un, il ne doit s'y décider que quand il y en aura une raison manifeste, et que cet acte de rigueur paraîtra bien justifié. Mais il doit surtout se garder, avec d'autant plus de soin, d'attenter aux biens, que les hommes oublient plutôt la mort d'un père même que la perte de leur patrimoine, et que d'ailleurs il en aura des occasions plus fréquentes. Le prince qui s'est une fois livré à la rapine trouve toujours, pour s'emparer du bien de ses sujets, des raisons et des moyens qu'il n'a que plus rarement pour répandre leur sang.

C'est lorsque le prince est à la tête de ses troupes, et qu'il commande à une multitude de soldats, qu'il doit moins que jamais appréhender d'être réputé cruel ; car, sans ce renom, on ne tient point une armée dans l'ordre et disposée à toute entreprise.

Entre les actions admirables d'Annibal, on a remarqué particulièrement que, quoique son armée fût très nombreuse, et composée d'un mélange de plusieurs espèces d'hommes très différents, faisant la guerre sur le territoire d'autrui, il ne s'y éleva, ni dans la bonne ni dans la mauvaise fortune, aucune dissension entre les troupes, aucun mouvement de révolte contre le général. D'où cela vient-il ? si ce n'est de cette cruauté excessive qui, jointe aux autres grandes qualités d'Annibal, le rendit tout à la fois la vénération et la terreur de ses soldats, et sans laquelle toutes ses autres qualités auraient été insuffisantes. Ils avaient donc bien peu réfléchi, ces écrivains, qui, en célébrant d'un côté les actions de cet homme illustre, ont blâmé de l'autre ce qui en avait été la principale cause.

Pour se convaincre que les autres qualités d'Annibal ne lui auraient pas suffi, il n'y a qu'à considérer ce qui arriva à Scipion, homme tel qu'on n'en trouve presque point de semblable, soit dans nos temps modernes, soit même dans l'histoire de tous les temps connus. Les troupes qu'il commandait en Espagne se soulevèrent contre lui, et cette révolte ne put être attribuée qu'à sa clémence excessive, qui avait laissé prendre aux soldats beaucoup plus de licence que n'en comportait la discipline militaire. C'est aussi ce que Fabius Maximus lui reprocha en plein sénat, où il lui donna la qualification de corrupteur de la milice romaine.

De plus, les Locriens, tourmentés et ruinés par un de ses lieutenants, ne purent obtenir de lui aucune vengeance, et l'insolence du lieutenant ne fut point réprimée ; autre effet de son naturel facile. Sur quoi quelqu'un, voulant l'accuser dans le sénat, dit qu'« il y avait des hommes qui savaient mieux ne point commettre de fautes que corriger celles des autres ». On peut croire aussi que cette extrême douceur aurait enfin terni la gloire et la renommée de Scipion, s'il avait exercé durant quelque temps le pouvoir suprême ; mais heureusement il était lui-même soumis aux ordres du sénat ; de sorte que cette qualité, nuisible de sa nature, demeura en quelque sorte cachée, et fut même encore pour lui un sujet d'éloges.

Revenant donc à la question dont il s'agit, je conclus que les hommes, aimant à leur gré, et craignant au gré du prince, celui-ci doit plutôt compter sur ce qui dépend de lui, que sur ce qui dépend des autres : il faut seulement que, comme je l'ai dit, il tâche avec soin de ne pas s'attirer la haine.

CHAPITRE XVIII

COMMENT LES PRINCES
DOIVENT TENIR LEUR PAROLE

Chacun comprend combien il est louable pour un prince d'être fidèle à sa parole et d'agir toujours franchement et sans artifice. De notre temps, néanmoins, nous avons vu de grandes choses exécutées par des princes qui faisaient peu de cas de cette fidélité et qui savaient en imposer aux hommes par la ruse. Nous avons vu ces princes l'emporter enfin sur ceux qui prenaient la loyauté pour base de toute leur conduite.

On peut combattre de deux manières : ou avec les lois, ou avec la force. La première est propre à l'homme, la seconde est celle des bêtes ; mais comme souvent celle-là ne suffit point, on est obligé de recourir à l'autre : il faut donc qu'un prince sache agir à propos, et en bête et en homme. C'est ce que les anciens écrivains ont enseigné allégoriquement, en racontant qu'Achille et plusieurs autres héros de l'Antiquité avaient été confiés au centaure Chiron, pour qu'il les nourrît et les élevât.

Par là, en effet, et par cet instituteur moitié homme et moitié bête, ils ont voulu signifier qu'un prince doit avoir en quelque sorte ces deux natures, et que l'une a besoin d'être soutenue par l'autre. Le prince, devant donc agir en bête, tâchera d'être tout à la fois renard et lion : car, s'il n'est que lion, il n'apercevra point les pièges ; s'il n'est que renard, il ne se défendra point contre les loups ; et il a également besoin d'être renard pour connaître les pièges, et lion pour épouvanter les loups. Ceux qui s'en tiennent tout simplement à être lions sont très malhabiles.

Un prince bien avisé ne doit point accomplir sa promesse lorsque cet accomplissement lui serait nuisible, et que les raisons qui l'ont déterminé à promettre n'existent plus : tel est le précepte à donner. Il ne serait pas bon sans doute, si les hommes étaient tous gens de bien ; mais comme ils sont méchants, et qu'assurément ils ne vous tiendraient point leur parole, pourquoi devriez-vous leur tenir la vôtre ? Et d'ailleurs, un prince peut-il manquer de raisons légitimes pour colorer l'inexécution de ce qu'il a promis ?

À ce propos on peut citer une infinité d'exemples modernes, et alléguer un très grand nombre de traités de paix, d'accords de toute espèce, devenus vains et inutiles par l'infidélité des princes qui les avaient conclus. On peut faire voir que ceux qui ont su le mieux agir en renard sont ceux qui ont le plus prospéré.

Mais pour cela, ce qui est absolument nécessaire, c'est de savoir bien déguiser cette nature de renard, et de posséder parfaitement l'art et de simuler et de dissimuler. Les hommes sont si aveuglés, si entraînés par le besoin du moment, qu'un trompeur trouve toujours quelqu'un qui se laisse tromper.

Parmi les exemples récents, il en est un que je ne veux point passer sous silence.

Alexandre VI ne fit jamais que tromper ; il ne pensait pas à autre chose, et il en eut toujours l'occasion et le moyen. Il n'y eut jamais d'homme qui affirmât une chose avec plus d'assurance, qui appuyât sa parole sur plus de serments, et qui les tint avec moins de scrupule : ses tromperies cependant lui réussirent toujours, parce qu'il en connaissait parfaitement l'art.

Ainsi donc, pour en revenir aux bonnes qualités énoncées ci-dessus, il n'est pas bien nécessaire qu'un prince les possède toutes ; mais il l'est qu'il paraisse les avoir. J'ose même dire que s'il les avait effectivement, et s'il les montrait toujours dans sa conduite, elles pourraient lui nuire, au lieu qu'il lui est toujours utile d'en avoir l'apparence. Il lui est toujours bon, par exemple, de paraître clément, fidèle, humain, religieux, sincère ; il l'est même d'être tout cela en réalité : mais il faut en même temps qu'il soit assez maître de lui pour pouvoir et savoir au besoin montrer les qualités opposées.

On doit bien comprendre qu'il n'est pas possible à un prince, et surtout à un prince nouveau, d'observer dans sa conduite tout ce qui fait que les hommes sont réputés gens de bien, et qu'il est souvent obligé, pour maintenir l'État, d'agir contre l'humanité, contre la charité, contre la religion même. Il faut donc qu'il ait l'esprit assez flexible pour se tourner à toutes choses, selon que le vent et les accidents de la fortune le commandent ; il faut, comme je l'ai dit, que tant qu'il le peut il ne s'écarte pas de la voie du bien, mais qu'au besoin il sache entrer dans celle du mal.

Il doit aussi prendre grand soin de ne pas laisser échapper une seule parole qui ne respire les cinq qualités que je viens de nommer ; en sorte qu'à le voir et à l'entendre on le croie tout plein de douceur, de sincérité, d'humanité, d'honneur, et principalement de religion, qui est encore ce dont il importe le plus d'avoir l'apparence : car les hommes, en général, jugent plus par leurs yeux que par leurs mains, tous étant à portée de voir, et peu de toucher. Tout le monde voit ce que vous paraissez ; peu connaissent à fond ce que vous êtes, et ce petit nombre n'osera point s'élever contre l'opinion de la majorité, soutenue encore par la majesté du pouvoir souverain.

Au surplus, dans les actions des hommes, et surtout des princes, qui ne peuvent être scrutées devant un tribunal, ce que l'on considère, c'est le résultat. Que le prince songe donc uniquement à conserver sa vie et son État : s'il y réussit, tous les moyens qu'il aura pris seront jugés honorables et loués par tout le monde.

Le vulgaire est toujours séduit par l'apparence et par l'événement : et le vulgaire ne fait-il pas le monde ? Le petit nombre n'est écouté que lorsque le plus grand ne sait quel parti prendre ni sur quoi asseoir son jugement.

De notre temps, nous avons vu un prince[*] qu'il ne convient pas de nommer, qui jamais ne prêcha que paix et bonne foi, mais qui, s'il avait toujours respecté l'une et l'autre, n'aurait pas sans doute conservé ses États et sa réputation.

---

[*] Ferdinand II d'Aragon, dit le Catholique, *cf.* chapitre XXI.

CHAPITRE XIX

QU'IL FAUT ÉVITER D'ÊTRE MÉPRISÉ ET HAÏ

Après avoir traité spécialement, parmi les qualités que j'avais d'abord énoncées, celles que je regarde comme les principales, je parlerai plus brièvement des autres, me bornant à cette généralité, que le prince doit éviter avec soin toutes les choses qui le rendraient odieux et méprisable, moyennant quoi il aura fait tout ce qu'il avait à faire, et il ne trouvera plus de danger dans les autres reproches qu'il pourrait encourir.

Ce qui le rendrait surtout odieux, ce serait, comme je l'ai dit, d'être rapace, et d'attenter, soit au bien de ses sujets, soit à l'honneur de leurs femmes. Pourvu que ces deux choses, c'est-à-dire les biens et l'honneur, soient respectées, le commun des hommes est content, et l'on n'a plus à lutter que contre l'ambition d'un petit nombre d'individus, qu'il est aisé et qu'on a mille moyens de réprimer.

Ce qui peut faire mépriser, c'est de paraître inconstant, léger, efféminé, pusillanime, irrésolu, toutes choses dont le prince doit se tenir loin comme d'un écueil, faisant en sorte que dans toutes ses actions on trouve de la grandeur, du courage, de la gravité, de la fermeté ; que l'on soit convaincu, quant aux affaires particulières de ses sujets, que ses décisions sont irrévocables, et que cette conviction s'établisse de telle manière dans leur esprit, que personne n'ose penser ni à le tromper ni à le circonvenir.

Le prince qui a donné de lui cette idée est très considéré, et il est difficile que l'on conspire contre celui qui jouit d'une telle considération ; il l'est même qu'on l'attaque quand on sait qu'il a de grandes qualités et qu'il est respecté par les siens.

Deux craintes doivent occuper un prince : l'intérieur de ses États et la conduite de ses sujets sont l'objet de l'une ; le dehors et les desseins des puissances environnantes sont celui de l'autre. Pour celle-ci, le moyen de se prémunir est d'avoir de bonnes armes et de bons amis ; et l'on aura toujours de bons amis quand on aura de bonnes armes : d'ailleurs, tant que le prince sera en sûreté et tranquille au-dehors, il le sera aussi au-dedans, à moins qu'il n'eût été déjà troublé par quelque conjuration ; et si même au-dehors quelque entreprise est formée contre lui, il trouvera dans l'intérieur, comme j'ai déjà dit que Nabis, tyran de Sparte, les trouva, les moyens de résister à toute attaque, pourvu toutefois qu'il se soit conduit et qu'il ait gouverné conformément à ce que j'ai observé, et que de plus il ne perde point courage.

Pour ce qui est des sujets, ce que le prince peut en craindre, lorsqu'il est tranquille au-dehors, c'est qu'ils ne conspirent secrètement contre lui : mais, à cet égard, il est déjà bien garanti quand il a évité d'être haï et méprisé, et qu'il a fait en sorte que le peuple soit content de lui ; chose dont il est absolument nécessaire de venir à bout, ainsi que je l'ai établi. C'est là, en effet, la plus sûre garantie contre les conjurations ; car celui qui conjure croit toujours que la mort du prince sera agréable au peuple : s'il pensait qu'elle l'affligeât, il se garderait bien de concevoir un pareil dessein, qui présente de très grandes et de très nombreuses difficultés.

On sait par l'expérience que beaucoup de conjurations ont été formées, mais qu'il n'y en a que bien peu qui aient eu une heureuse issue. Un homme ne peut pas conjurer tout seul: il faut qu'il ait des associés; et il ne peut en chercher que parmi ceux qu'il croit mécontents. Or, en confiant un projet de cette nature à un mécontent, on lui fournit le moyen de mettre un terme à son mécontentement; car il peut compter qu'en révélant le secret il sera amplement récompensé: et comme il voit là un profit assuré, tandis que la conjuration ne lui présente qu'incertitude et péril, il faut qu'il ait, pour ne point trahir, ou une amitié bien vive pour le conspirateur, ou une haine bien obstinée pour le prince. En peu de mots, le conspirateur est toujours troublé par le soupçon, la jalousie, la frayeur du châtiment; au lieu que le prince a pour lui la majesté de l'empire, l'autorité des lois, l'appui de ses amis, et tout ce qui fait la défense de l'État; et si à tout cela se joint la bienveillance du peuple, il est impossible qu'il se trouve quelqu'un d'assez téméraire pour conjurer; car, en ce cas, le conspirateur n'a pas seulement à craindre les dangers qui précèdent l'exécution, il doit encore redouter ceux qui suivront, et contre lesquels, ayant le peuple pour ennemi, il ne lui restera aucun refuge.

Sur cela, on pourrait citer une infinité d'exemples, mais je me borne à un seul dont nos pères ont été les témoins.

Messer Annibal Bentivogli, aïeul de messer Annibal actuellement vivant, étant prince de Bologne, fut assassiné par les Canneschi, à la suite d'une conspiration qu'ils avaient tramée contre lui: il ne resta de sa famille que messer Giovanni, jeune enfant encore au berceau. Mais l'affection que le peuple bolonais avait en ce temps-là pour la maison Bentivogli fut cause qu'aussitôt après le meurtre il se souleva, et massacra toutes les Canneschi. Cette affection alla même encore plus loin: comme, après la mort de messer Annibal, il n'était resté personne qui pût gouverner l'État, et les Bolonais ayant su qu'il y avait un homme né de la famille Bentivogli qui vivait à Florence, où il passait pour le fils d'un artisan, ils allèrent le chercher, et lui conférèrent le gouvernement, qu'il garda en effet jusqu'à ce que messer Giovanni fût en âge de tenir lui-même les rênes de l'État.

Encore une fois donc, un prince qui est aimé de son peuple a peu à craindre les conjurations; mais s'il en est haï, tout, choses et hommes, est pour lui à redouter. Aussi les gouvernements bien réglés et les princes sages prennent-ils toujours très grand soin de satisfaire le peuple et de le tenir content sans trop chagriner les grands: c'est un des objets de la plus haute importance.

Parmi les royaumes bien organisés de notre temps, on peut citer la France, où il y a un grand nombre de bonnes institutions propres à maintenir l'indépendance et la sûreté du roi; institutions entre lesquelles celle du parlement et de son autorité tient le premier rang. En effet, celui qui organisa ainsi la France, voyant, d'un côté, l'ambition et l'insolent orgueil des grands, et combien il était nécessaire de les réprimer; considérant, de l'autre, la haine générale qu'on leur portait, haine enfantée par la crainte qu'ils inspiraient, et voulant en conséquence qu'il fût aussi pourvu à leur sûreté, pensa qu'il était à propos de n'en pas laisser le soin spécialement au roi, pour qu'il n'eût pas à encourir la haine des grands en favorisant le peuple, et celle du peuple en favorisant les grands. C'est pourquoi il trouva bon d'établir la tierce autorité d'un tribunal qui pût, sans aucune fâcheuse conséquence pour le roi, abaisser les grands et protéger les petits. Une telle institution était sans doute ce qu'on pouvait faire de mieux, de plus sage et de plus convenable pour la sûreté du prince et du royaume.

De là aussi, on peut tirer une autre remarque: c'est que le prince doit se décharger sur d'autres des parties de l'administration qui peuvent être odieuses, et se réserver exclusivement celles des grâces; en un mot, je le répète, il doit avoir des égards pour les grands, mais éviter d'être haï par le peuple.

En considérant la vie et la mort de plusieurs empereurs romains, on croira peut-être y voir des exemples contraires à ce que je viens de dire, car on en trouvera quelques-uns qui, s'étant toujours conduits avec sagesse, et ayant montré de grandes qualités, ne laissèrent pas de perdre l'empire, ou même de périr victimes de conjurations formées contre eux.

Pour répondre à cette objection, je vais examiner le caractère et la conduite de quelques-uns de ces empereurs, et faire voir que les causes de leur ruine ne présentent rien qui ne s'accorde avec ce que j'ai établi. Je ferai d'ailleurs quelques réflexions sur ce que les événements de ces temps-là peuvent offrir de remarquable à ceux qui lisent l'histoire. Je me bornerai cependant aux empereurs qui se succédèrent depuis Marc Aurèle jusqu'à Maximin, et qui sont: Marc Aurèle, Commode son fils, Pertinax, Didius Julianus, Septime Sévère, Antonin Caracalla son fils, Macrin, Héliogabale, Alexandre Sévère et Maximin.

La première observation à faire est que, tandis que dans les autres États le prince n'a à lutter que contre l'ambition des grands et l'insolence des peuples, les empereurs romains avaient encore à surmonter une troisième difficulté, celle de se défendre contre la cruauté et l'avarice des soldats; difficulté telle, qu'elle fut la cause de la ruine de plusieurs de ces princes. Il est très difficile, en effet, de contenter tout à la fois les soldats et les peuples; car les peuples aiment le repos, et par conséquent un prince modéré: les soldats, au contraire, demandent qu'il soit d'humeur guerrière, insolent, avide et cruel; ils veulent même qu'il se montre tel envers le peuple, afin d'avoir une double paye, et d'assouvir leur avarice et leur cruauté. De là vint aussi la ruine de tous ceux des empereurs qui n'avaient point, soit par leurs qualités naturelles, soit par leurs qualités acquises, l'ascendant nécessaire pour contenir à la fois et les peuples et les gens de guerre. De là vint encore que la plupart, et ceux surtout qui étaient des princes nouveaux, voyant la difficulté de satisfaire des humeurs si opposées, prirent le parti de contenter les soldats, sans s'inquiéter de l'oppression du peuple.

Ce parti, au reste, était nécessaire à prendre; car les princes, qui ne peuvent éviter d'être haïs par quelqu'un, doivent d'abord chercher à ne pas l'être par la multitude ; et, s'ils ne peuvent y réussir, ils doivent faire tous leurs efforts pour ne pas l'être au moins par la classe la plus puissante. C'est pour cela aussi que les empereurs, qui, comme princes nouveaux, avaient besoin d'appuis extraordinaires, s'attachaient bien plus volontiers aux soldats qu'au peuple ; ce qui pourtant ne leur était utile qu'autant qu'ils savaient conserver sur eux leur ascendant.

C'est en conséquence de tout ce que je viens de dire, que des trois empereurs Marc Aurèle, Pertinax et Alexandre Sévère, qui vécurent avec sagesse et modération, qui furent amis de la justice, ennemis de la cruauté, humains et bienfaisants, il n'y eut que le premier qui ne finit point malheureusement. Mais s'il vécut et mourut toujours honoré, c'est qu'ayant hérité de l'empire par droit de succession, il n'en fut redevable ni aux gens de guerre ni au peuple, et que d'ailleurs ses grandes et nombreuses vertus le firent tellement respecter, qu'il put toujours contenir tous les ordres de l'État dans les bornes du devoir, sans être ni haï ni méprisé.

Quant à Pertinax, les soldats, contre le gré de qui il avait été nommé empereur, ne purent supporter la discipline qu'il voulait rétablir après la licence dans laquelle ils avaient vécu sous Commode : il en fut donc haï. À cette haine se joignit le mépris qu'inspirait sa vieillesse, et il périt presque aussitôt qu'il eut commencé à régner. Sur quoi il y a lieu d'observer que la haine est autant le fruit des bonnes actions que des mauvaises ; d'où il suit, comme je l'ai dit, qu'un prince qui veut se maintenir est souvent obligé de n'être pas bon ; car lorsque la classe de sujets dont il croit avoir besoin, soit peuple, soit soldats, soit grands, est corrompue, il faut à tout prix la satisfaire pour ne l'avoir point contre soi ; et alors les bonnes actions nuisent plutôt qu'elles ne servent.

Enfin, pour ce qui concerne Alexandre Sévère, sa bonté était telle, que, parmi les éloges qu'on en a faits, on a remarqué que, pendant les quatorze ans que dura son règne, personne ne fut mis à mort sans un jugement régulier. Mais, comme il en était venu à passer pour un homme efféminé, qui se laissait gouverner par sa mère, et que par là il était tombé dans le mépris, son armée conspira contre lui et le massacra.

Si nous venons maintenant aux empereurs qui montrèrent des qualités bien opposées, c'est-à-dire à Commode, Septime Sévère, Antonin Caracalla et Maximin, nous verrons qu'ils furent très cruels et d'une insatiable avidité; que, pour satisfaire les soldats, ils n'épargnèrent au peuple aucune sorte d'oppression et d'injure, et qu'ils eurent tous une fin malheureuse, à l'exception seulement de Sévère, qui, par la grandeur de son courage et d'autres qualités éminentes, put, en se conservant l'affection des soldats, et bien qu'il accablât le peuple d'impôts, régner toujours heureusement; car cette grandeur le faisait admirer des uns et des autres, de telle manière que les peuples demeuraient frappés comme d'étonnement et de stupeur, et que les soldats étaient respectueux et satisfaits. Sévère, au surplus, se conduisit très habilement comme prince nouveau : c'est pourquoi je m'arrêterai un moment à faire voir comment il sut bien agir en renard et en lion, deux animaux dont, comme je l'ai dit, un prince doit savoir revêtir les caractères.

Connaissant la lâcheté de Didius Julianus, qui venait de se faire proclamer empereur, il persuada aux troupes à la tête desquelles il se trouvait alors en Pannonie, qu'il était digne d'elles d'aller à Rome pour venger la mort de Pertinax, que la garde impériale avait égorgé; et, sans découvrir les vues secrètes qu'il avait sur l'empire, il saisit ce prétexte, se hâta de marcher vers Rome avec son armée, et parut en Italie avant qu'on y eût appris son départ. Arrivé à Rome, il fut proclamé empereur par le sénat épouvanté, et Julianus fut massacré. Ce premier pas fait, il lui restait, pour parvenir à être maître de tout l'État, deux obstacles à vaincre : l'un en Orient, où Niger s'était fait proclamer empereur par les armées d'Asie qu'il commandait; l'autre en Occident, où Albin aspirait également à l'empire. Comme il voyait trop de danger à se déclarer en même temps contre ces deux compétiteurs, il se proposa d'attaquer Niger et de tromper Albin. En conséquence, il écrivit à ce dernier que, nommé empereur par le sénat, son intention était de partager avec lui la dignité impériale : il lui envoya donc le titre de César et se le fit adjoindre comme collègue, par un décret du sénat. Albin se laissa séduire par ces démonstrations, qu'il crut sincères. Mais lorsque Sévère eut fait mourir Niger, après l'avoir vaincu et que les troubles de l'Orient furent apaisés, il revint à Rome et se plaignit dans le sénat de la conduite d'Albin, l'accusa d'avoir montré peu de reconnaissance de tous les bienfaits dont il l'avait comblé, et d'avoir tenté secrètement de l'assassiner ; et il conclut en disant qu'il ne pouvait éviter de marcher contre lui pour le punir de son ingratitude. Il alla soudain l'attaquer dans les Gaules, où il lui ôta et l'empire et la vie.

Telle fut la conduite de ce prince. Si l'on en suit pas à pas toutes les actions, on y verra partout éclater et l'audace du lion et la finesse du renard ; on le verra craint et révéré de ses sujets, et chéri même de ses soldats : on ne sera par conséquent point étonné de ce que, quoique homme nouveau, il pût se maintenir dans un si vaste empire ; car sa haute réputation le défendit toujours contre la haine que ses continuelles exactions auraient pu allumer dans le cœur de ses peuples.

Antonin Caracalla, son fils, eut aussi comme lui d'éminentes qualités qui le faisaient admirer du peuple et chérir par les soldats. Son habileté dans l'art de la guerre, son mépris pour une nourriture recherchée et les délices de la mollesse, lui conciliaient l'affection des troupes ; mais sa cruauté, sa férocité inouïe, les meurtres nombreux et journaliers dont il frappa une partie des citoyens de Rome, le massacre général des habitants d'Alexandrie, le rendirent l'objet de l'exécration universelle : ceux qui l'entouraient eurent bientôt à trembler pour eux-mêmes ; et un centurion le tua au milieu de son armée.

Une observation importante résulte de ce fait : c'est qu'un

prince ne peut éviter la mort lorsqu'un homme ferme et endurci dans sa vengeance a résolu de le faire périr; car quiconque méprise sa vie est maître de celle des autres. Mais comme ces dangers sont rares, ils sont, par conséquent, moins à appréhender. Tout ce que le prince peut et doit faire à cet égard, c'est d'être attentif à n'offenser grièvement aucun de ceux qu'il emploie et qu'il a autour de lui pour son service; attention que n'eut point Caracalla, qui avait fait mourir injustement un frère du centurion, par lequel il fut tué, qui le menaçait journellement lui-même, et qui néanmoins le conservait dans sa garde. C'était là sans doute une témérité qui ne pouvait qu'occasionner sa ruine, comme l'événement le prouva.

Pour ce qui est de Commode, fils et héritier de Marc Aurèle, il avait certes toute facilité de se maintenir dans l'empire: il n'avait qu'à suivre les traces de son père pour contenter le peuple et les soldats. Mais, s'abandonnant à son caractère cruel et féroce, il voulut impunément écraser le peuple par ses rapines; il prit le parti de caresser les troupes et de les laisser vivre dans la licence. D'ailleurs, oubliant tout le soin de sa dignité, on le voyait souvent descendre dans l'arène pour combattre avec les gladiateurs, et se livrer aux turpitudes les plus indignes de la majesté impériale. Il se rendit vil aux yeux mêmes de ses soldats. Ainsi, devenu tout à la fois l'objet de la haine des uns et du mépris des autres, on conspira contre lui, et il fut égorgé.

Il ne me reste plus qu'à parler de Maximin. Il possédait toutes les qualités qui font l'homme de guerre. Après la mort d'Alexandre Sévère, dont j'ai parlé tout à l'heure, les armées, dégoûtées de la faiblesse de ce dernier prince, élevèrent Maximin à l'empire; mais il ne le conserva pas longtemps. Deux choses contribuèrent à le faire mépriser et haïr. La première fut la bassesse de son premier état: gardien de troupeaux dans la Thrace, cette extraction, connue de tout le monde, le rendait vil à tous les yeux. La seconde fut la réputation de cruauté qu'il se fit aussitôt; car, sans aller à Rome pour prendre possession du trône impérial, il y fit commettre par ses lieutenants, ainsi que dans toutes les parties de l'empire, des actes multipliés de rigueur. D'un côté, l'État, indigné de la bassesse de son origine, et, de l'autre, excité par la crainte qu'inspiraient ses barbaries, se souleva contre lui. Le signal fut donné par l'Afrique. Aussitôt le sénat et le peuple suivirent cet exemple, qui ne tarda pas à être imité par le reste de l'Italie. Bientôt, à cette conspiration générale se joignit celle de ses troupes : elles assiégeaient Aquilée ; mais, rebutées par les difficultés du siège, lassées de ses cruautés, et commençant à le moins craindre depuis qu'elles le voyaient en butte à une multitude d'ennemis, elles se déterminèrent à le massacrer.

Je ne m'arrêterai maintenant à parler ni d'Héliogabale, ni de Macrin, ni de Didius Julianus, hommes si vils qu'ils ne firent que paraître sur le trône. Mais, venant immédiatement à la conclusion de mon discours, je dis que les princes modernes trouvent dans leur administration une difficulté de moins : c'est celle de satisfaire extraordinairement les gens de guerre. En effet, ils doivent bien, sans doute, avoir pour eux quelque considération ; mais il n'y a en cela nul grand embarras, car aucun de ces princes n'a les grands corps de troupes toujours subsistants, et amalgamés en quelque sorte par le temps avec le gouvernement et l'administration des provinces, comme l'étaient les armées romaines. Les empereurs étaient obligés de contenter les soldats plutôt que les peuples, parce que les soldats étaient les plus puissants ; mais aujourd'hui ce sont les peuples que les princes ont surtout à satisfaire. Il ne faut excepter à cet égard que le Grand Seigneur des Turcs et le Soudan[*].

J'excepte le Grand Seigneur, parce qu'il a toujours autour de lui un corps de douze mille hommes d'infanterie et de quinze mille de cavalerie ; que ces corps font sa sûreté et sa force, et qu'en conséquence il doit sur toutes choses, et sans songer au peuple, ménager et conserver leur affection.

---

[*] Nom donné au sultan Mamelouk d'Égypte.

J'excepte le Soudan, parce que ses États étant entièrement entre les mains des gens de guerre, il faut bien qu'il se concilie leur amitié, sans s'embarrasser du peuple.

Remarquons, à ce propos, que l'État du Soudan diffère de tous les autres, et qu'il ne ressemble guère qu'au pontificat des chrétiens, qu'on ne peut appeler ni principauté héréditaire, ni principauté nouvelle. En effet, à la mort du prince, ce ne sont point ses enfants qui héritent et règnent après lui ; mais son successeur est élu par ceux à qui appartient cette élection ; et du reste, comme cet ordre de choses est consacré par son ancienneté, il ne présente point les difficultés des principautés nouvelles : le prince, à la vérité, est nouveau, mais les institutions sont anciennes, ce qui le fait recevoir tout comme s'il était prince héréditaire. Revenons à notre sujet.

Quiconque réfléchira sur tout ce que je viens de dire, verra qu'en effet la ruine des empereurs dont j'ai parlé eut pour cause la haine ou le mépris, et il comprendra en même temps pourquoi les uns agissant d'une certaine manière, et les autres d'une manière toute différente, un seul, de chaque côté, a fini heureusement, tandis que tous les autres ont terminé leurs jours d'une façon misérable. Il concevra que ce fut une chose inutile et même funeste pour Pertinax et pour Alexandre Sévère, princes nouveaux, de vouloir imiter Marc Aurèle, prince héréditaire ; et que, pareillement, Caracalla, Commode et Maximin se nuisirent en voulant imiter Sévère, parce qu'ils n'avaient pas les grandes qualités nécessaires pour pouvoir suivre ses traces.

Je dis aussi qu'un prince nouveau peut et doit, non pas imiter, soit Marc Aurèle, soit Sévère, mais bien prendre, dans l'exemple de Sévère, ce qui lui est nécessaire pour établir son pouvoir, et dans celui de Marc Aurèle ce qui peut lui servir à maintenir la stabilité et la gloire d'un empire établi et consolidé depuis longtemps.

CHAPITRE XX

SI LES FORTERESSES, ET PLUSIEURS AUTRES CHOSES QUE FONT SOUVENT LES PRINCES, LEUR SONT UTILES OU NUISIBLES

Les princes ont employé différents moyens pour maintenir sûrement leurs États. Quelques-uns ont désarmé leurs sujets ; quelques autres ont entretenu, dans les pays qui leur étaient soumis, la division des partis : il en est qui ont aimé à fomenter des inimitiés contre eux-mêmes ; il y en a aussi qui se sont appliqués à gagner ceux qui, au commencement de leur règne, leur avaient paru suspects ; enfin, quelques-uns ont construit des forteresses, et d'autres les ont démolies. Il est impossible de se former, sur ces divers moyens, une opinion bien déterminée, sans entrer dans l'examen des circonstances particulières de l'État auquel il serait question d'en appliquer quelqu'un. Je vais néanmoins en parler généralement et comme le sujet le comporte.

Il n'est jamais arrivé qu'un prince nouveau ait désarmé ses sujets ; bien au contraire, celui qui les a trouvés sans armes leur en a donné, car il a pensé que ces armes seraient à lui ; qu'en les donnant, il rendrait fidèles ceux qui étaient suspects ; que les autres se maintiendraient dans leur fidélité, et que tous, enfin, deviendraient ses partisans. À la vérité, tous les sujets ne peuvent pas porter les armes ; mais le prince ne doit pas craindre, en récompensant ceux qui les auront prises, d'indisposer les autres de manière qu'il ait quelque lieu de s'en inquiéter : les premiers, en effet, lui sauront gré de la récompense ; et les derniers trouveront à propos qu'il traite mieux ceux qui auront plus servi et se seront exposés à plus de dangers.

Le prince qui désarmerait ses sujets commencerait à les offenser, en leur montrant qu'il se défie de leur fidélité ; et cette défiance, quel qu'en fût l'objet, inspirerait de la haine contre lui. D'ailleurs, ne pouvant pas rester sans armes, il serait forcé de recourir à une milice mercenaire ; et j'ai déjà dit ce que c'est que cette milice, qui, lors même qu'elle serait bonne, ne pourrait jamais être assez considérable pour le défendre contre des ennemis puissants et des sujets irrités. Aussi, comme je l'ai déjà dit, tout prince nouveau dans une principauté nouvelle n'a jamais manqué d'y organiser une force armée. L'histoire en présente de nombreux exemples.

C'est quand un prince a acquis un État nouveau, qu'il adjoint à celui dont il était déjà possesseur, qu'il lui importe de désarmer les sujets du nouvel État, à l'exception toutefois de ceux qui se sont déclarés pour lui au moment de l'acquisition : encore convient-il qu'il leur donne la facilité de s'abandonner à la mollesse et de s'efféminer, et qu'il organise les choses de manière qu'il n'y ait plus d'armée que ses soldats propres, vivant dans son ancien État et auprès de sa personne.

Nos ancêtres, et particulièrement ceux qui passaient pour sages, disaient communément qu'il fallait contenir Pistoia au moyen des partis, et Pise par celui des forteresses. Ils prenaient soin aussi d'entretenir la division dans quelques-uns des pays qui leur étaient soumis, afin de les maintenir plus aisément. Cela pouvait être bon dans le temps où il y avait une sorte d'équilibre en Italie; mais il me semble qu'on ne pourrait plus le conseiller aujourd'hui; car je ne pense pas que les divisions pussent être bonnes à quelque chose. Il me paraît même que, quand l'ennemi approche, les pays divisés sont infailliblement et bientôt perdus; car le parti faible se joindra aux forces extérieures, et l'autre ne pourra plus résister. Les Vénitiens, qui, je crois, pensaient à cet égard comme nos ancêtres, entretenaient les partis guelfe et gibelin dans les villes soumises à leur domination. À la vérité, ils ne laissaient pas aller les choses jusqu'à l'effusion du sang, mais ils fomentaient assez la division et les querelles pour que les habitants en fussent tellement occupés qu'ils ne songeassent point à sortir de l'obéissance. Cependant ils s'en trouvèrent mal; et quand ils eurent perdu la bataille de Vailà, ces mêmes villes devinrent aussitôt audacieuses, et secouèrent le joug de l'autorité vénitienne.

Le prince qui emploie de pareils moyens décèle sa faiblesse; et un gouvernement fort ne tolérera jamais les divisions : si elles sont de quelque utilité durant la paix, en donnant quelques facilités pour contenir les sujets, dès que la guerre s'allume, elles ne sont que funestes.

Les princes deviennent plus grands, sans doute, lorsqu'ils surmontent tous les obstacles qui s'opposaient à leur élévation. Aussi, quand la fortune veut agrandir un prince nouveau, qui a plus besoin qu'un prince héréditaire d'acquérir de la réputation, elle suscite autour de lui une foule d'ennemis contre lesquels elle le pousse, afin de lui fournir l'occasion d'en triompher, et lui donne ainsi l'occasion de s'élever au moyen d'une échelle que ses ennemis eux-mêmes lui fournissent. C'est pourquoi plusieurs personnes ont pensé qu'un prince sage doit, s'il le peut, entretenir avec adresse quelque inimitié, pour qu'en la surmontant il accroisse sa propre grandeur.

Les princes, et particulièrement les princes nouveaux, ont éprouvé que les hommes qui, au moment de l'établissement de leur puissance, leur avaient paru suspects, leur étaient plus fidèles et plus utiles que ceux qui d'abord s'étaient montrés dévoués. Pandolfo Petrucci, prince de Sienne, employait de préférence dans son gouvernement ceux que d'abord il avait suspectés.

Il serait difficile, sur cet objet, de donner des règles générales, et tout dépend des circonstances particulières. Aussi me bornerai-je à dire que, pour les hommes qui, au commencement d'une principauté nouvelle, étaient ennemis, et qui se trouvent dans une position telle, qu'ils ont besoin d'appui pour se maintenir, le prince pourra toujours très aisément les gagner, et que, de leur côté, ils seront forcés de le servir avec d'autant plus de zèle et de fidélité, qu'ils sentiront qu'ils ont à effacer, par leurs services, la mauvaise idée qu'ils lui avaient donné lieu de prendre d'eux. Ils lui seront par conséquent plus utiles que ceux qui, n'ayant ni les mêmes motifs ni la même crainte, peuvent s'occuper avec négligence de ses intérêts.

Et, puisque mon sujet m'y amène, je ferai encore observer à tout prince nouveau, qui s'est emparé de la principauté au moyen d'intelligences au-dedans, qu'il doit bien considérer par quels motifs ont été déterminés ceux qui ont agi en sa faveur ; car, s'ils ne l'ont pas été par une affection naturelle, mais seulement par la raison qu'ils étaient mécontents de son gouvernement actuel, le nouveau prince aura une peine extrême à conserver leur amitié, car il lui sera impossible de les contenter.

En réfléchissant sur les exemples que les temps anciens et les modernes nous offrent à cet égard, on verra qu'il est beaucoup plus facile au prince nouveau de gagner ceux qui d'abord furent ses ennemis, parce qu'ils étaient satisfaits de l'ancien état des choses, que ceux qui se firent ses amis et le favorisèrent, parce qu'ils étaient mécontents.

Les princes ont été généralement dans l'usage, pour se maintenir, de construire des forteresses, soit afin d'empêcher les révoltes, soit afin d'avoir un lieu sûr de refuge contre une première attaque. J'approuve ce système, parce qu'il fut suivi par les anciens. De nos jours, cependant, nous avons vu Niccolò

Vitelli démolir deux forteresses à Città di Castello, afin de se maintenir en possession de ce pays. Pareillement, le duc d'Urbin Guido Ubaldo, rentré dans son duché, d'où il avait été expulsé par César Borgia, détruisit jusqu'aux fondements toutes les citadelles qui s'y trouvaient, pensant qu'au moyen de cette mesure il risquerait moins d'être dépouillé une seconde fois. Enfin les Bentivogli, rétablis dans Bologne, en usèrent de même. Les forteresses sont donc utiles ou non, selon les circonstances, et même, si elles servent dans un temps, elles nuisent dans un autre. Sur quoi voici ce qu'on peut dire.

Le prince qui a plus de peur de ses sujets que des étrangers doit construire des forteresses; mais il ne doit point en avoir s'il craint plus les étrangers que ses sujets: le château de Milan, construit par Francesco Sforza, a plus fait de tort à la maison de ce prince qu'aucun désordre survenu dans ses États. La meilleure forteresse qu'un prince puisse avoir est l'affection de ses peuples: s'il est haï, toutes les forteresses qu'il pourra avoir ne le sauveront pas; car si ses peuples prennent une fois les armes, ils trouveront toujours des étrangers pour les soutenir.

De notre temps, nous n'avons vu que la comtesse de Forli tirer avantage d'une forteresse, où, après le meurtre de son mari, le comte de Girolamo, elle put trouver un refuge contre le soulèvement du peuple, et attendre qu'on lui eût envoyé de Milan le secours au moyen duquel elle reprit ses États. Mais, pour lors, les circonstances étaient telles, qu'aucun étranger ne put soutenir le peuple. D'ailleurs, cette même forteresse lui fut peu utile dans la suite, lorsqu'elle fut attaquée par César Borgia, et que le peuple, qui la détestait, put se joindre à cet ennemi. Dans cette dernière occasion, comme dans la première, il lui eût beaucoup mieux valu de n'être point haïe que d'avoir des forteresses.

D'après tout cela, j'approuve également ceux qui construiront des forteresses et ceux qui n'en construiront point; mais je blâmerai toujours quiconque, comptant sur cette défense, ne craindra point d'encourir la haine des peuples.

CHAPITRE XXI

COMMENT DOIT SE CONDUIRE UN PRINCE
POUR ACQUÉRIR DE LA RÉPUTATION

Faire de grandes entreprises, donner par ses actions de rares exemples, c'est ce qui illustre le plus un prince. Nous pouvons, de notre temps, citer comme un prince ainsi illustré Ferdinand d'Aragon, actuellement roi d'Espagne, et qu'on peut appeler en quelque sorte un prince nouveau, parce que, n'étant d'abord qu'un roi bien peu puissant, la renommée et la gloire en ont fait le premier roi de la chrétienté.

Si l'on examine ses actions, on les trouvera toutes empreintes d'un caractère de grandeur, et quelques-unes paraîtront même sortir de la route ordinaire. Dès le commencement de son règne, il attaqua le royaume de Grenade ; et cette entreprise devint la base de sa grandeur. D'abord il la fit étant en pleine paix avec tous les autres États, et sans crainte, par conséquent, d'aucune diversion : elle lui fournit d'ailleurs le moyen d'occuper l'ambition des grands de la Castille, qui, entièrement absorbés dans cette guerre, ne pensèrent point à innover ; tandis que lui, de son côté, acquérait sur eux, par sa renommée, un ascendant dont ils ne s'aperçurent pas. De plus, l'argent que l'Église lui fournit et celui qu'il leva sur les peuples le mirent en état d'entretenir des armées qui, formées par cette longue suite de guerres, le firent tant respecter par la suite. Après cette entreprise, et se couvrant toujours du manteau de la religion pour en venir à de plus grandes, il s'appliqua avec une pieuse cruauté à persécuter les Marranes* et à en purger son royaume : exemple admirable, et qu'on ne saurait trop méditer. Enfin, sous ce même prétexte de la religion, il attaqua l'Afrique ; puis il porta ses armes dans l'Italie ; et, en dernier lieu, il fit la guerre à la France : de sorte qu'il ne cessa de former et d'exécuter de grands desseins, tenant toujours les esprits de ses sujets dans l'admiration et dans l'attente des événements. Toutes ses actions, au surplus, se succédèrent et furent liées les unes aux autres, de telle manière qu'elles ne laissaient ni le temps de respirer, ni le moyen d'en interrompre le cours.

Ce qui peut servir encore à illustrer un prince, c'est d'offrir, comme fit messer Barnabò Visconti, duc de Milan, dans son administration intérieure, et quand l'occasion s'en présente, des exemples singuliers, et qui donnent beaucoup à parler, quant à la manière de punir ou de récompenser ceux qui, dans la vie civile, ont commis de grands crimes ou rendu de grands services ; c'est d'agir, en toute circonstance, de telle façon qu'on soit forcé de le regarder comme supérieur au commun des hommes.

On estime aussi un prince qui se montre franchement ami ou ennemi, c'est-à-dire qui sait se déclarer ouvertement et sans réserve pour ou contre quelqu'un ; ce qui est toujours un parti plus utile à prendre que de demeurer neutre.

En effet, quand deux puissances qui vous sont voisines en viennent aux mains, il arrive de deux choses l'une ; elles sont ou elles ne sont pas telles que vous ayez quelque chose à craindre

---

* C'est-à-dire les Juifs et les Maures, convertis de force au catholicisme et que l'Inquisition a finalement expulsés d'Espagne.

de la part de celle qui demeurera victorieuse. Or, dans l'une et l'autre hypothèse, il vous sera utile de vous être déclaré ouvertement et d'avoir fait franchement la guerre. En voici les raisons.

Dans le premier cas : ne vous êtes-vous point déclaré, vous demeurez la proie de la puissance victorieuse, et cela à la satisfaction et au contentement de la puissance vaincue, qui ne sera engagée par aucun motif à vous défendre ni même à vous donner asile. La première, effectivement ne peut pas vouloir d'un ami suspect, qui ne sait pas l'aider au besoin ; et, quant à la seconde, pourquoi vous accueillerait-elle, vous qui aviez refusé de prendre les armes en sa faveur et de courir sa fortune ?

Antiochus étant venu dans la Grèce, où l'appelaient les Étoliens, dans la vue d'en chasser les Romains, envoya des orateurs aux Achéens, alliés de ce dernier peuple, pour les inviter à demeurer neutres. Les Romains leur en envoyèrent aussi pour les engager au contraire à prendre les armes en leur faveur. L'affaire étant mise en discussion dans le conseil des Achéens, et les envoyés d'Antiochus insistant pour la neutralité, ceux des Romains répondirent, en s'adressant aux Achéens : « Quant au conseil qu'on vous donne de ne prendre aucune part dans notre guerre, et qu'on vous présente comme le meilleur et le plus utile pour votre pays, il n'y en a point qui pût vous être plus funeste ; car si vous le suivez, vous demeurez le prix du vainqueur sans vous être acquis la moindre gloire, et sans qu'on vous ait la moindre obligation[*]. »

Un gouvernement doit compter que toujours celle des deux parties belligérantes qui n'est point son amie lui demandera qu'il demeure neutre, et que celle qui est amie voudra qu'il se déclare en prenant les armes.

Ce parti de la neutralité est celui qu'embrassent le plus

---

[*] Cité d'après Tite-Live, *Histoires,* XXXV, 48.

souvent les princes irrésolus, qu'effrayent les dangers présents, et c'est celui qui, le plus souvent aussi, les conduit à leur ruine.

Vous êtes-vous montré résolument et vigoureusement pour une des deux parties, elle ne sera point à craindre pour vous si elle demeure victorieuse, alors même qu'elle serait assez puissante pour que vous vous trouvassiez à sa discrétion ; car elle vous sera obligée : elle aura contracté avec vous quelque lien d'amitié ; et les hommes ne sont jamais tellement dépourvus de tout sentiment d'honneur, qu'ils veuillent accabler ceux avec qui ils ont de tels rapports, et donner ainsi l'exemple de la plus noire ingratitude. D'ailleurs, les victoires ne sont jamais si complètes que le vainqueur puisse se croire affranchi de tout égard, et surtout de toute justice. Mais si cette partie belligérante, pour laquelle vous vous êtes déclaré, se trouve vaincue, du moins vous pouvez compter d'en être aidé autant qu'il lui sera possible, et d'être associé à une fortune qui peut se rétablir.

Dans la seconde hypothèse, c'est-à-dire quand les deux puissances rivales ne sont point telles que vous ayez à craindre quelque chose de la part de celle qui demeurera victorieuse, la prudence vous conseille encore plus de vous déclarer pour l'une des deux. Que s'ensuivra-t-il, en effet ? C'est que vous aurez ruiné une de ces puissances par le moyen et avec le secours d'une autre, qui, si elle eût été sage, aurait dû la soutenir, et qui se trouvera à votre discrétion après la victoire que votre appui doit infailliblement lui faire obtenir.

Sur cela, au reste, j'observe qu'un prince ne doit jamais, ainsi que je l'ai déjà dit, s'associer à un autre plus puissant que lui pour en attaquer un troisième, à moins qu'il n'y soit contraint par la nécessité, car la victoire le mettrait à la discrétion de cet autre plus puissant ; et les princes doivent, sur toutes choses, éviter de se trouver à la discrétion d'autrui. Les Vénitiens s'associèrent avec la France contre le duc de Milan ; et de cette association, qu'ils pouvaient éviter, résulta leur ruine.

Que si une pareille association est inévitable, comme elle le fut pour les Florentins, lorsque le pape et l'Espagne firent marcher leurs troupes contre la Lombardie, il faut bien alors qu'on s'y détermine, quoi qu'il en puisse arriver.

Au surplus, un gouvernement ne doit point compter qu'il ne prendra jamais que des partis bien sûrs : on doit penser, au contraire, qu'il n'en est point où il ne se trouve quelque incertitude. Tel est effectivement l'ordre des choses, qu'on ne cherche jamais à fuir un inconvénient sans tomber dans un autre ; et la prudence ne consiste qu'à examiner, à juger les inconvénients, et à prendre comme bon ce qui est le moins mauvais.

Un prince doit encore se montrer amateur des talents, et honorer ceux qui se distinguent dans leur profession. Il doit encourager ses sujets, et les mettre à portée d'exercer tranquillement leur industrie, soit dans le commerce, soit dans l'agriculture, soit dans tous les autres genres de travaux auxquels les hommes se livrent ; en sorte qu'il n'y en ait aucun qui s'abstienne ou d'améliorer ses possessions, dans la crainte qu'elles ne lui soient enlevées, ou d'entreprendre quelque négoce de peur d'avoir à souffrir des exactions. Il doit faire espérer des récompenses à ceux qui forment de telles entreprises, ainsi qu'à tous ceux qui songent à accroître la richesse et la grandeur de l'État. Il doit de plus, à certaines époques convenables de l'année, amuser le peuple par des fêtes, des spectacles ; et, comme tous les citoyens d'un État sont partagés en communautés d'arts ou en tribus, il ne saurait avoir trop d'égards pour ces corporations ; il paraîtra quelquefois dans leurs assemblées, et montrera toujours de l'humanité et de la magnificence, sans jamais compromettre néanmoins la majesté de son rang, majesté qui ne doit l'abandonner dans aucune circonstance.

CHAPITRE XXII

DES SECRÉTAIRES DES PRINCES

Ce n'est pas une chose de peu d'importance pour un prince que le choix de ses ministres, qui sont bons ou mauvais selon qu'il est plus ou moins sage lui-même. Aussi, quand on veut apprécier sa capacité, c'est d'abord par les personnes qui l'entourent que l'on en juge. Si elles sont habiles et fidèles, on présume toujours qu'il est sage lui-même, puisqu'il a su discerner leur habileté et s'assurer de leur fidélité; mais on en pense tout autrement si ces personnes ne sont point telles; et le choix qu'il en a fait ayant dû être sa première opération, l'erreur qu'il y a commise est d'un très fâcheux augure. Tous ceux qui apprenaient que Pandolfo Petrucci, prince de Sienne, avait choisi messer Antonio da Venafro pour son ministère, jugeaient par là même que Pandolfo était un prince très sage et très éclairé.

On peut distinguer trois ordres d'esprit, savoir: ceux qui comprennent par eux-mêmes, ceux qui comprennent lorsque d'autres leur démontrent, et ceux enfin qui ne comprennent ni par eux-mêmes, ni par le secours d'autrui. Les premiers sont les esprits supérieurs, les seconds les bons esprits, les troisièmes les esprits nuls. Si Pandolfo n'était pas du premier ordre, certainement il devait être au moins du second, et cela suffisait; car un prince qui est en état, sinon d'imaginer, du moins de juger de ce qu'un autre fait et dit de bien et de mal, sait discerner les opérations bonnes ou mauvaises de son ministre, favoriser les unes, réprimer les autres, ne laisser aucune espérance de pouvoir le tromper, et contenir ainsi le ministre lui-même dans son devoir.

Du reste, si un prince veut une règle certaine pour connaître ses ministres, on peut lui donner celle-ci : Voyez-vous un ministre songer plus à lui-même qu'à vous, et rechercher son propre intérêt dans toutes ses actions, jugez aussitôt qu'il n'est pas tel qu'il doit être, et qu'il ne peut mériter votre confiance; car l'homme qui a l'administration d'un État dans les mains doit ne jamais penser à lui-même, mais doit toujours penser au prince, et ne l'entretenir que de ce qui tient à l'intérêt de l'État.

Mais il faut aussi que, de son côté, le prince pense à son ministre, s'il veut le conserver toujours fidèle; il faut qu'il l'environne de considération, qu'il le comble de richesses, qu'il le fasse entrer en partage de tous les honneurs et de toutes les dignités, pour qu'il n'ait pas lieu d'en souhaiter davantage; que, monté au comble de la faveur, il redoute le moindre changement, et qu'il soit bien convaincu qu'il ne pourrait se soutenir sans l'appui du prince.

Quand le prince et le ministre sont tels que je le dis, ils peuvent se livrer l'un à l'autre avec confiance: s'ils ne le sont point, la fin sera également fâcheuse pour tous les deux.

CHAPITRE XXIII

COMMENT ON DOIT FUIR LES FLATTEURS

Je ne négligerai point de parler d'un article important, et d'une erreur dont il est très difficile aux princes de se défendre, s'ils ne sont doués d'une grande prudence, et s'ils n'ont l'art de faire de bons choix; il s'agit des flatteurs, dont les Cours sont toujours remplies.

Si, d'un côté, les princes aveuglés par l'amour-propre ont peine à ne pas se laisser corrompre par cette peste, de l'autre, ils courent un danger en la fuyant: c'est celui de tomber dans le mépris. Ils n'ont effectivement qu'un bon moyen de se prémunir contre la flatterie, c'est de faire bien comprendre qu'on ne peut leur déplaire en leur disant la vérité: or, si toute personne peut dire librement à un prince ce qu'elle croit vrai, il cesse bientôt d'être respecté.

Quel parti peut-il donc prendre pour éviter tout inconvénient? Il doit, s'il est prudent, faire choix dans ses États de quelques hommes sages, et leur donner, mais à eux seuls, liberté entière de lui dire la vérité, se bornant toutefois encore aux choses sur lesquelles il les interrogera. Il doit, du reste, les consulter sur tout, écouter leurs avis, résoudre ensuite par lui-même ; il doit encore se conduire, soit envers tous les conseillers ensemble, soit envers chacun d'eux en particulier, de manière à leur persuader qu'ils lui agréent d'autant plus qu'ils parlent avec plus de franchise ; il doit enfin ne vouloir entendre aucune autre personne, agir selon la détermination prise, et s'y tenir avec fermeté.

Le prince qui en use autrement est ruiné par les flatteurs, ou il est sujet à varier sans cesse, entraîné par la diversité des conseils ; ce qui diminue beaucoup sa considération. Sur quoi je citerai un exemple récent. Le prêtre Lucas, agent de Maximilien[*], actuellement empereur, disait de ce prince qu'«il ne prenait jamais conseil de personne, et qu'il ne faisait jamais rien d'après sa volonté». Maximilien, en effet, est un homme fort secret, qui ne se confie à qui que ce soit, et ne demande aucun avis ; mais ses desseins venant à être connus à mesure qu'ils sont mis à exécution, ils sont aussitôt contredits par ceux qui l'entourent, et par faiblesse il s'en laisse détourner : de là vient que ce qu'il fait un jour, il le défait le lendemain ; qu'on ne sait jamais ce qu'il désire ni ce qu'il se propose, et qu'on ne peut compter sur aucune de ses déterminations.

Un prince doit donc toujours prendre conseil, mais il doit le faire quand il veut, et non quand d'autres le veulent ; il faut même qu'il ne laisse à personne la hardiesse de lui donner son avis sur quoi que ce soit, à moins qu'il ne le demande ; mais il faut aussi qu'il ne soit pas trop réservé dans ses questions, qu'il écoute patiemment la vérité, et que lorsque quelqu'un est retenu, par certains égards, de la lui dire, il en témoigne du déplaisir.

Ceux qui prétendent que tel ou tel prince qui paraît sage ne l'est point effectivement, parce que la sagesse qu'il montre ne vient pas de lui-même, mais des bons conseils qu'il reçoit, avancent une grande erreur ; car c'est une règle générale, et qui

---

1. Maximilien Ier (1459-1519), empereur germanique depuis 1493.

ne trompe jamais, qu'un prince qui n'est point sage par lui-même ne peut pas être bien conseillé, à moins que le hasard ne l'ait mis entièrement entre les mains de quelque homme très habile, qui seul le maîtrise et le gouverne; auquel cas, du reste, il peut, à la vérité, être bien conduit, mais pour peu de temps, car le conducteur ne tardera pas à s'emparer du pouvoir. Mais hors de là, et lorsqu'il sera obligé d'avoir plusieurs conseillers, le prince qui manque de sagesse les trouvera toujours divisés entre eux, et ne saura point les réunir. Chacun de ces conseillers ne pensera qu'à son intérêt propre, et il ne sera en état ni de les reprendre, ni même de les juger: d'où il s'ensuivra qu'il n'en aura jamais que de mauvais, car ils ne seront point forcés par la nécessité à devenir bons. En un mot, les bons conseils, de quelque part qu'ils viennent, sont le fruit de la sagesse du prince, et cette sagesse n'est point le fruit des bons conseils.

CHAPITRE XXIV

POURQUOI LES PRINCES D'ITALIE
ONT PERDU LEURS ÉTATS

Le prince nouveau qui conformera sa conduite à tout ce que nous avons remarqué sera regardé comme ancien, et bientôt même il sera plus sûrement et plus solidement établi que si son pouvoir avait été consacré par le temps. En effet, les actions d'un prince nouveau sont beaucoup plus examinées que celles d'un prince ancien ; et quand elles sont jugées vertueuses, elles lui gagnent et lui attachent bien plus les cœurs que ne pourrait faire l'ancienneté de la race ; car les hommes sont bien plus touchés du présent que du passé ; et quand leur situation actuelle les satisfait, ils en jouissent sans penser à autre chose ; ils sont même très disposés à maintenir et à défendre le prince, pourvu que d'ailleurs il ne se manque point à lui-même.

Le prince aura donc une double gloire, celle d'avoir fondé un État nouveau, et celle de l'avoir orné, consolidé par de bonnes lois, de bonnes armes, de bons alliés et de bons exemples ; tandis qu'au contraire il y aura une double honte pour celui qui, né sur le trône, l'aura laissé perdre par son peu de sagesse.

Si l'on considère la conduite des divers princes d'Italie qui, de notre temps, ont perdu leurs États, tels que le roi de Naples, le duc de Milan et autres, on trouvera d'abord une faute commune à leur reprocher, c'est celle qui concerne les forces militaires, et dont il a été parlé au long ci-dessus. En second lieu, on reconnaîtra qu'ils s'étaient attiré la haine du peuple, ou qu'en possédant son amitié, ils n'ont pas su s'assurer des grands. Sans de telles fautes, on ne perd point des États assez puissants pour mettre une armée en campagne.

Philippe de Macédoine, non pas le père d'Alexandre le Grand, mais celui qui fut vaincu par T. Quintus Flaminius, ne possédait qu'un petit État en comparaison de la grandeur de la République romaine et de la Grèce, par qui il fut attaqué; néanmoins, comme c'était un habile capitaine, et qu'il avait su s'attacher le peuple et s'assurer des grands, il se trouva en état de soutenir la guerre durant plusieurs années; et si, à la fin, il dut perdre quelques villes, du moins il conserva son royaume.

Que ceux de nos princes qui, après une longue possession, ont été dépouillés de leurs États, n'en accusent donc point la fortune, mais qu'ils s'en prennent à leur propre lâcheté. N'ayant jamais pensé, dans les temps de tranquillité, que les choses pouvaient changer, semblables en cela au commun des hommes qui, durant le calme, ne s'inquiète point de la tempête, ils ont songé, quand l'adversité s'est montrée, non à se défendre, mais à s'enfuir, espérant être rappelés par leurs peuples, que l'insolence du vainqueur aurait fatigués. Un tel parti peut être bon à prendre quand on n'en a pas d'autre; mais il est bien honteux de s'y réduire: on ne se laisse pas tomber, dans l'espoir d'être relevé par quelqu'un. D'ailleurs, il n'est pas certain qu'en ce cas un prince soit ainsi rappelé; et, s'il l'est, ce ne sera pas avec une grande sûreté pour lui, car un tel genre de défense l'avilit, et ne dépend pas de sa personne. Or il n'y a pour un prince de défense bonne, certaine et durable, que celle qui dépend de lui-même et de sa propre valeur.

CHAPITRE XXV

COMBIEN, DANS LES CHOSES HUMAINES, LA FORTUNE A DE POUVOIR, ET COMMENT ON PEUT Y RÉSISTER

Je n'ignore point que bien des gens ont pensé et pensent encore que Dieu et la fortune régissent les choses de ce monde de telle manière que toute la prudence humaine ne peut en arrêter ni en régler le cours : d'où l'on peut conclure qu'il est inutile de s'en occuper avec tant de peine, et qu'il n'y a qu'à se soumettre et à laisser tout conduire par le sort. Cette opinion s'est surtout propagée de notre temps par une conséquence de cette variété de grands événements que nous avons cités, dont nous sommes encore témoins, et qu'il ne nous était pas possible de prévoir : aussi suis-je assez enclin à la partager.

Néanmoins, ne pouvant admettre que notre libre arbitre soit réduit à rien, j'imagine qu'il peut être vrai que la fortune dispose de la moitié de nos actions, mais qu'elle en laisse à peu près l'autre moitié en notre pouvoir. Je la compare à un fleuve impétueux qui, lorsqu'il déborde, inonde les plaines, renverse les arbres et les édifices, enlève les terres d'un côté et les emporte vers un autre : tout fuit devant ses ravages, tout cède à sa fureur ; rien n'y peut mettre obstacle. Cependant, et quelque redoutable qu'il soit, les hommes ne laissent pas, lorsque l'orage a cessé, de chercher à pouvoir s'en garantir par des digues, des chaussées et autres travaux ; en sorte que, de nouvelles crues survenant, les eaux se trouvent contenues dans un canal, et ne puissent plus se répandre avec autant de liberté et causer d'aussi grands ravages. Il en est de même de la fortune, qui montre surtout son pouvoir là où aucune résistance n'a été préparée, et porte ses fureurs là où elle sait qu'il n'y a point d'obstacle disposé pour l'arrêter.

Si l'on considère l'Italie, qui est le théâtre et la source des grands changements que nous avons vus et que nous voyons s'opérer, on trouvera qu'elle ressemble à une vaste campagne qui n'est garantie par aucune sorte de défense. Que si elle avait été prémunie, comme l'Allemagne, l'Espagne et la France, contre le torrent, elle n'en aurait pas été inondée, ou du moins elle n'en aurait pas autant souffert.

Me bornant à ces idées générales sur la résistance qu'on peut opposer à la fortune, et venant à des observations plus particularisées, je remarque d'abord qu'il n'est pas extraordinaire de voir un prince prospérer un jour et déchoir le lendemain, sans néanmoins qu'il ait changé, soit de caractère, soit de conduite. Cela vient, ce me semble, de ce que j'ai déjà assez longuement établi, qu'un prince qui s'appuie entièrement sur la fortune tombe à mesure qu'elle varie. Il me semble encore qu'un prince est heureux ou malheureux, selon que sa conduite se trouve ou ne se trouve pas conforme au temps où il règne. Tous les hommes ont en vue un même but : la gloire et les richesses ; mais, dans tout ce qui a pour objet de parvenir à ce but, ils n'agissent pas tous de la même manière : les uns procèdent avec circonspection, les autres avec impétuosité ; ceux-ci emploient la violence, ceux-là usent d'artifice ; il en est qui sont patients, il en est aussi qui ne le sont pas du tout : ces diverses façons d'agir, quoique très différentes, peuvent également réussir. On voit d'ailleurs que de deux hommes qui suivent la même marche, l'un arrive et l'autre n'arrive pas ; tandis qu'au contraire deux autres qui marchent très différemment, et, par exemple, l'un avec circonspection et l'autre avec impétuosité, parviennent néanmoins pareillement à leur terme : or, d'où cela vient-il, si ce n'est de ce que les manières de procéder sont ou ne sont pas conformes aux temps ? C'est ce qui fait que deux actions différentes produisent un même effet, et que deux actions pareilles ont des résultats opposés. C'est pour cela encore que ce qui est bien ne l'est pas toujours. Ainsi, par exemple, un prince gouverne-t-il avec circonspection et patience : si la nature et les circonstances des temps sont telles que cette manière de gouverner soit bonne, il prospérera ; mais il déchera, au contraire, si la nature et les circonstances des temps changeant, il ne change pas lui-même de système.

Changer ainsi à propos, c'est ce que les hommes même les plus prudents ne savent point faire, soit parce qu'on ne peut agir contre son caractère, soit parce que, lorsqu'on a longtemps prospéré en suivant une certaine route, on ne peut se persuader qu'il soit bon d'en prendre une autre. Ainsi l'homme circonspect, ne sachant point être impétueux quand il le faudrait, est lui-même l'artisan de sa propre ruine. Si nous pouvions changer de caractère selon le temps et les circonstances, la fortune ne changerait jamais.

Le pape Jules II fit toutes ses actions avec impétuosité ; et cette manière d'agir se trouva tellement conforme aux temps et aux circonstances, que le résultat en fut toujours heureux. Considérez sa première entreprise, celle qu'il fit sur Bologne, du vivant de messer Giovanni Bentivogli : les Vénitiens la voyaient de mauvais œil, et elle était un sujet de discussion pour l'Espagne et la France ; néanmoins, Jules s'y précipita avec sa résolution et son impétuosité naturelles, conduisant lui-même en personne l'expédition ; et, par cette hardiesse, il tint les Vénitiens et l'Espagne en respect, de telle manière que personne ne bougea : les Vénitiens, parce qu'ils craignaient, et l'Espagne, parce qu'elle désirait recouvrer le royaume de Naples en entier. D'ailleurs, il entraîna le roi de France à son aide; car ce monarque, voyant que le pape s'était mis en marche, et souhaitant gagner son amitié, dont il avait besoin pour abaisser les Vénitiens, jugea qu'il ne pouvait lui refuser le secours de ses troupes sans lui faire une offense manifeste. Jules obtint donc, par son impétuosité, ce qu'un autre n'aurait pas obtenu avec toute la prudence humaine; car s'il avait attendu, pour partir de Rome, comme tout autre pape aurait fait, que tout eût été convenu, arrêté, préparé, certainement il n'aurait pas réussi. Le roi de France, en effet, aurait trouvé mille moyens de s'excuser auprès de lui, et les autres puissances en auraient eu tout autant de l'effrayer.

Je ne parlerai point ici des autres opérations de ce pontife, qui, toutes conduites de la même manière, eurent pareillement un heureux succès. Du reste, la brièveté de sa vie ne lui a pas permis de connaître les revers, qu'il eût probablement essuyés s'il était survenu dans un temps où il eût fallu se conduire avec circonspection; car il n'aurait jamais pu se départir du système de violence auquel ne le portait que trop son caractère.

Je conclus donc que, la fortune changeant, et les hommes s'obstinant dans la même manière d'agir, ils sont heureux tant que cette manière se trouve d'accord avec la fortune; mais qu'aussitôt que cet accord cesse, ils deviennent malheureux.

Je pense, au surplus, qu'il vaut mieux être impétueux que circonspect; car la fortune est femme: pour la tenir soumise, il faut la traiter avec rudesse; elle cède plutôt aux hommes qui usent de violence qu'à ceux qui agissent froidement: aussi est-elle toujours amie des jeunes gens, qui sont moins réservés, plus emportés, et qui commandent avec plus d'audace.

CHAPITRE XXVI

EXHORTATION À DÉLIVRER L'ITALIE DES BARBARES

En réfléchissant sur tout ce que j'ai exposé ci-dessus, et en examinant en moi-même si aujourd'hui les temps seraient tels en Italie, qu'un prince nouveau pût s'y rendre illustre, et si un homme prudent et courageux trouverait l'occasion et le moyen de donner à ce pays une nouvelle forme, telle qu'il en résultât de la gloire pour lui et de l'utilité pour la généralité des habitants, il me semble que tant de circonstances concourent en faveur d'un pareil dessein, que je ne sais s'il y eut jamais un temps plus propice que celui-ci pour ces grands changements.

Et si, comme je l'ai dit, il fallait que le peuple d'Israël fût esclave des Égyptiens, pour connaître la vertu de Moïse; si la grandeur d'âme de Cyrus ne pouvait éclater qu'autant que les Perses seraient opprimés par les Mèdes; si enfin, pour apprécier toute la valeur de Thésée, il était nécessaire que les Athéniens fussent désunis: de même, en ces jours, pour que quelque génie pût s'illustrer, il était nécessaire que l'Italie fût réduite au terme où nous la voyons parvenue; qu'elle fût plus opprimée que les Hébreux, plus esclave que les Perses, plus désunie que les

Athéniens, sans chefs, sans institutions, battue, déchirée, envahie, et accablée de toute espèce de désastres.

Jusqu'à présent, quelques lueurs ont bien paru lui annoncer de temps en temps un homme choisi de Dieu pour sa délivrance ; mais bientôt elle a vu cet homme arrêté par la fortune dans sa brillante carrière, et elle en est toujours à attendre, presque mourante, celui qui pourra fermer ses blessures, faire cesser les pillages et les saccagements que souffre la Lombardie, mettre un terme aux exactions et aux vexations qui accablent le royaume de Naples et la Toscane, et guérir enfin ses plaies si invétérées qu'elles sont devenues fistuleuses.

On la voit aussi priant sans cesse le Ciel de daigner lui envoyer quelqu'un qui la délivre de la cruauté et de l'insolence des barbares. On la voit d'ailleurs toute disposée, toute prête à se ranger sous le premier étendard qu'on osera déployer devant ses yeux. Mais où peut-elle mieux placer ses espérances qu'en votre illustre maison, qui, par ses vertus héréditaires, par sa fortune, par la faveur de Dieu et par celle de l'Église, dont elle occupe actuellement le trône, peut véritablement conduire et opérer cette heureuse délivrance.

Elle ne sera point difficile, si vous avez sous les yeux la vie et les actions de ces héros que je viens de nommer. C'étaient, il est vrai, des hommes rares et merveilleux ; mais enfin c'étaient des hommes ; et les occasions dont ils profitèrent étaient moins favorables que celle qui se présente. Leurs entreprises ne furent pas plus justes que celle-ci, et ils n'eurent pas plus que vous ne l'avez la protection du Ciel. C'est ici que la justice brille dans tout son jour, car « la guerre est toujours juste lorsqu'elle est nécessaire, et les armes sont sacrées lorsqu'elles sont l'unique ressource des opprimés[*] ». Ici, tous les vœux du peuple vous appellent ; et, au milieu de cette disposition unanime, le succès

---

[*] *Cf.* Tite-Live, *Histoires,* IX, 1.

ne peut être incertain: il suffit que vous preniez exemple sur ceux que je vous ai proposés pour modèles.

Bien plus, Dieu manifeste sa volonté par des signes éclatants: la mer s'est entrouverte, une nue lumineuse a indiqué le chemin, le rocher a fait jaillir des eaux de son sein, la manne est tombée dans le désert; tout favorise ainsi votre grandeur. Que le reste soit votre ouvrage: Dieu ne veut pas tout faire, pour ne pas nous laisser sans mérite et sans cette portion de gloire qu'il nous permet d'acquérir.

Qu'aucun des Italiens dont j'ai parlé n'ait pu faire ce qu'on attend de votre illustre maison; que, même au milieu de tant de révolutions que l'Italie a éprouvées, et de tant de guerres dont elle a été le théâtre, il ait semblé que toute valeur militaire y fût éteinte, c'est de quoi l'on ne doit point s'étonner: cela est venu de ce que les anciennes institutions étaient mauvaises, et qu'il n'y a eu personne qui sût en trouver de nouvelles. Il n'est rien cependant qui fasse plus d'honneur à un homme qui commence à s'élever que d'avoir su introduire de nouvelles lois et de nouvelles institutions: si ces lois, si ces institutions posent sur une base solide, et si elles présentent de la grandeur, elles le font admirer et respecter de tous les hommes.

L'Italie, au surplus, offre une matière susceptible des réformes les plus universelles. C'est là que le courage éclatera dans chaque individu, pourvu que les chefs n'en manquent pas eux-mêmes. Voyez dans les duels et les combats entre un petit nombre d'adversaires combien les Italiens sont supérieurs en force, en adresse, en intelligence. Mais faut-il qu'ils combattent réunis en armée, toute leur valeur s'évanouit. Il faut en accuser la faiblesse des chefs; car, d'une part, ceux qui savent ne sont point obéissants, et chacun croit savoir; de l'autre, il ne s'est trouvé aucun chef assez élevé, soit par son mérite personnel, soit par la fortune, au-dessus des autres, pour que tous reconnussent sa supériorité et lui fussent soumis. Il est résulté de là que, pendant si longtemps, et durant tant de guerres qui ont eu lieu depuis vingt années, toute armée uniquement composée d'Italiens n'a éprouvé que des revers, témoins d'abord de Taro, puis Alexandrie, Capoue, Gênes, Vailà, Cologne et Mestri.

Si votre illustre maison veut imiter les grands hommes qui, en divers temps, délivrèrent leur pays, ce qu'elle doit faire avant toutes choses, et ce qui doit être à la base de son entreprise, c'est de se pourvoir de forces nationales, car ce sont les plus solides, les plus fidèles, les meilleures qu'on puisse posséder : chacun des soldats qui les composent étant bon personnellement, deviendra encore meilleur lorsque tous réunis se verront commandés, honorés, entretenus par leur prince. C'est avec de telles armes que la valeur italienne pourra repousser les étrangers.

L'infanterie suisse et l'infanterie espagnole passent pour être terribles ; mais il y a dans l'une et dans l'autre un défaut tel, qu'il est possible d'en former une troisième, capable non seulement de leur résister, mais encore de les vaincre. En effet, l'infanterie espagnole ne peut se soutenir contre la cavalerie, et l'infanterie suisse doit craindre toute autre troupe de même nature qui combattra avec la même obstination qu'elle. On a vu aussi, et l'on verra encore, la cavalerie française défaire l'infanterie espagnole, et celle-ci détruire l'infanterie suisse ; de quoi il a été fait, sinon une expérience complète, au moins un essai dans la bataille de Ravenne, où l'infanterie espagnole se trouva aux prises avec les bataillons allemands, qui observent la même discipline que les Suisses : on vit les Espagnols, favorisés par leur agilité et couverts de leurs petits boucliers, pénétrer par-dessous les lances dans les rangs de leurs adversaires, les frapper sans risque et sans que les Allemands pussent les en empêcher ; et ils les auraient détruits jusqu'au dernier, si la cavalerie n'était venue les charger eux-mêmes à leur tour.

Maintenant que l'on connaît le défaut de l'une et de l'autre de ces deux infanteries, on peut en organiser une nouvelle qui sache résister à la cavalerie et ne point craindre d'autres fantassins. Il n'est pas nécessaire pour cela de créer un nouveau genre de troupe ; il suffit de trouver une nouvelle organisation, une nouvelle manière de combattre ; et c'est par de telles inventions qu'un prince nouveau acquiert de la réputation et parvient à s'agrandir.

Ne laissons donc point échapper l'occasion présente. Que l'Italie, après une si longue attente, voie enfin paraître son libérateur ! Je ne puis trouver de termes pour exprimer avec quel amour, avec quelle soif de vengeance, avec quelle fidélité iné-branlable, avec quelle vénération et quelles larmes de joie il serait reçu dans toutes les provinces qui ont tant souffert de ces inondations d'étrangers ! Quelles portes pourraient rester fermées devant lui ? Quels peuples refuseraient de lui obéir ? Quelle ja-lousie s'opposerait à ses succès ? Quel Italien ne l'entourerait de ses respects ? Y a-t-il quelqu'un dont la domination des barbares ne fasse bondir le cœur ?

Que votre illustre maison prenne donc sur elle ce noble fardeau avec ce courage et cet espoir du succès qu'inspire une entreprise juste et légitime ; que, sous sa bannière, la commune patrie ressaisisse son ancienne splendeur, et que, sous ses auspices, ces vers de Pétrarque puissent enfin se vérifier !

> Virtù contra furore
> Prenderà l'arme, e fia el combatter corto ;
> Che l'antico valore
> Negl'italici cor non è ancor morto[*].

PETRARCA, Canz. XVI, v. 93-96.

---

[*] *Vertu contre furie Armes prendra, et tôt la défera, car ès cœurs d'Italie Vaillance antique est encore et sera.* (Traduction Gohory.)

TABLE

Mise en pages et typographie :
Les Éditions du Boréal

Achevé d'imprimer en mai 1995 sur les presses de AGMV inc.,
à Cap-Saint-Ignace, Québec.